Ross Welford

Cose da non fare se diventi invisibile

Traduzione di
MARA PACE

HarperCollins

ISBN 978-88-6905-672-7

Titolo originale dell'edizione in lingua inglese:
What not to do if you turn Invisible
HarperCollins *Children's Books*
a division of HarperCollins *Publishers* Ltd
© 2018 Ross Welford

Traduzione di Mara Pace

Ross Welford detiene il diritto morale
di essere identificato come autore dell'opera.

© 2021 HarperCollins Italia S.p.A., Milano
Prima edizione HarperCollins
settembre 2021

MISTO
Carta da fonti gestite
in maniera responsabile
FSC® C005461

FSC
www.fsc.org

Questo libro è prodotto con carta FSC certificata e da fonti controllate con un sistema
di controllo di parte terza indipendente per garantire una gestione forestale responsabile.

A mia madre, con amore

Prima parte

Appena prima di addormentarmi, riuscivo a vedere me stessa. Ero visibile e sapevo chi ero.
Ma questo era prima.

Non sono certa di cosa mi abbia svegliata: l'intensa luce delle lampade uv del lettino solare, o forse Lady che spinge la ciotola della pappa accanto alla porta tra il garage e l'ingresso.

Il bagliore violaceo è così intenso che riesce ad accecarmi anche se chiudo forte gli occhi.

Ho dormito?

Perché non è scattato il timer?

Quanto tempo sono rimasta qua dentro?

Tutte le domande, però, sono spazzate via da una questione più urgente: sto morendo di sete. Non ho ancora la lingua incollata al palato, ma la sento che sfrega in bocca. Cerco di recuperare abbastanza saliva perché tutto riprenda a funzionare.

Ho sollevato il coperchio del lettino solare e messo fuori le gambe. C'è una piccola chiazza di sudore – "traspirazione", direbbe la nonna – nel punto in cui ero sdraiata. Sono ancora accecata dalle luci e batto forte le palpebre ma – cosa strana – quando chiudo gli occhi il buio non arriva, solo macchie e lampi luminosi.

Cerco a tentoni con una mano l'interruttore accanto al lettino solare, e le lampade uv si spengono.

Così va meglio, ma non troppo. Mi sento ancora a pezzi. Ho un mal di testa martellante e per un po' resto seduta.

Avrei fatto meglio a controllare che il timer funzionasse. Mentre guardo il vecchio orologio digitale sulla parete del garage l'ora passa dalle 11.04 alle 11.05.

Oh. Santo. Cielo.

Sono rimasta sotto quelle luci per quasi un'ora e mezza! Scottatura garantita! Pelle chiara, capelli rossi (o meglio: ramati), acne fuori controllo e una bella scottatura: che combinazione fantastica.

Tengo lo sguardo fisso davanti a me, lasciando che gli occhi si abituino all'oscurità polverosa del garage. Ci sono il vecchio tappeto dell'ingresso, ben arrotolato, la mia bicicletta di quando ero bambina e della quale non ci siamo ancora sbarazzate, alcune scatole di cartone piene di vestiti per la chiesa, e le gocce d'acqua che battono contro lo stretto vano in vetro della porta che si affaccia sul giardino dietro casa.

Devono essere passati venti, forse persino trenta secondi da quando mi sono svegliata.

Poi squilla il telefono. Lo guardo, abbandonato sul pavimento, e vedo che si tratta di Elliot Boyd il Terribile; non che sia questo il suo nome completo, naturalmente. Non sono spesso dell'umore giusto per parlargli, così mi chino per silenziare il cellulare e lascio che scatti la segreteria.

11

È un istante che resterà con me per sempre.

Un istante così strano e spaventoso che è davvero difficile descriverlo, anche se farò del mio meglio.

Perché, vedete, all'inizio non mi accorgo di essere diventata completamente invisibile.

Ma poi, tutt'a un tratto, sì.

Capitolo uno

Chinarsi, raccogliere il cellulare che squilla, cercare l'interruttore, silenziare il telefono e fissare lo schermo mentre vibra nella mia mano fino a fermarsi: tutte queste azioni sono così *normali* e quotidiane che il mio cervello deve aver completato le parti mancanti.

Che sono il mio palmo e le dita.

È un po' come guardare un film di animazione. Tutti sanno che un cartone animato, o qualsiasi film se è per questo, non è altro che una serie di immagini statiche. Quando le si guarda in sequenza rapida, una dopo l'altra, il cervello colma gli spazi vuoti in modo che il filmato non risulti a scatti.

Dev'essere questo che fanno il mio cervello e gli occhi in quei due, tre secondi che mi servono per spegnere il telefono. Vedono la mia mano solo perché si aspettano di vederla.

Ma non dura a lungo.

Batto le palpebre, e fisso il telefono sul pavimento. Poi guardo la mano. Provo a rigirarla davanti al viso.

Non c'è.

Ok, fermiamoci un attimo. Provate anche voi ad alzare una mano davanti al viso. Vi aspetto.

È lì, vero? La vostra mano? Certo che sì.

Ora ruotatela ed esaminate il palmo. È quello che ho fatto pochi minuti fa, solo che la mia mano non c'era. Non c'è.

Al momento non sono spaventata. Più che altro confusa.

Penso: *Che strano. Possibile che il lettino solare mi abbia danneggiato il cervello?* Potrei essere, che ne so, mezza addormentata? O magari è tutto un sogno o un'allucinazione?

Mi osservo le gambe. Non ci sono nemmeno quelle, anche se posso toccarle. Posso toccarmi il viso. Posso toccare ogni singola parte di me, e sentirla, ma non vedo nulla.

Non so per quanto resto seduta lì, a guardare e riguardare il punto in cui dovrebbe esserci il mio corpo. Passano tanti secondi, anche se meno di un minuto. Intanto analizzo la situazione, mi faccio domande di questo tipo: è già successo prima? È normale, in qualche modo? Saranno gli occhi? Sono stata accecata dalla luce ultravioletta? Però vedo tutto il resto, manco solo io.

Ora sì che sono spaventata e ho il respiro affannato. Mi alzo e raggiungo il lavandino nell'angolo del garage, dove c'è uno specchio.

E lancio un grido. Un grido piccolo; più un sussulto, in realtà.

Provate a immaginare, se ci riuscite, di trovarvi di

fronte a uno specchio e non vedere nulla. Il vostro viso non ricambia lo sguardo. Non vedete altro che la stanza alle vostre spalle. O un garage, per quanto mi riguarda.

Passata la sorpresa, capisco cosa sta succedendo. Scuoto la testa, sorrido, faccio persino una risatina. Poi mi dico: *OK, è chiaro che stai sognando.* E – wow! – questo sì che è un sogno vivido! Sembra proprio reale. Avete presente quei sogni che sono chiaramente sogni anche mentre li state sognando? Be', non è questo il caso. È il più vivido che mi sia mai capitato, e comincio a trovarlo piuttosto divertente. Tuttavia, cerco lo stesso di verificare che si tratti davvero di un sogno: batto le palpebre, mi do un pizzicotto, dico a me stessa: *Svegliati, Ethel, è solo un sogno.*

Alla fine, però, sono ancora qui nel garage. È un sogno testardo! Ricomincio da capo. Molte volte.

E no, non si tratta di un sogno.

Decisamente non lo è. Smetto di sorridere.

Chiudo forte gli occhi e non succede nulla. Proprio così, *sento* le palpebre che scendono, *però continuo a vedere.* Vedo il garage, anche se so benissimo di avere gli occhi chiusi; li sto quasi strizzando, in realtà.

Mi copro gli occhi con le mani, eppure continuo a vedere.

Sento una stretta allo stomaco, fatta di paura, timore, terrore: una combinazione terribile, tutta in una volta. Senza preavviso, vomito nel lavandino, ma non vedo uscire nulla. Sento il rumore, però. E il sapore del rigurgito caldo in bocca, che pochi istanti dopo si materializza davanti ai miei occhi: una poltiglia di cereali digeriti a metà.

Faccio scorrere l'acqua per lavare via tutto. Metto la mano sotto il getto e l'acqua prende la sua forma. Mentre sollevo il palmo fino alla bocca assetata, fisso sbigottita il *pezzo* d'acqua simile a una bolla che fluttua di fronte a me. Lo bevo e poi guardo di nuovo nello specchio: le labbra bagnate, per un istante, sono quasi visibili e riesco anche a scorgere il liquido che mi scende nella gola e poi sparisce.

Sono invasa da un orrore molto più intenso di qualsiasi cosa abbia mai provato.

In piedi di fronte allo specchio, stringendo i bordi del lavabo con le mie mani invisibili, mentre il cervello sembra quasi pulsare nello sforzo di elaborare tutta questa… questa… *stranezza*, faccio quello che avrebbe fatto chiunque altro.

Quello che avreste fatto anche voi.

Lancio un grido d'aiuto.

«Nonna! NONNA! NONNA!»

ATTENZIONE

Sto per raccontarvi come sono diventata invisibile, e come ho scoperto un sacco di altre cose. Ma prima che io lo faccia, dovete conoscere quello che il professor Parker chiama "antefatto": la concatenazione di eventi che mi ha portato a essere invisibile.

Restate con me per un paio di capitoli. La faccio breve, promesso, e poi torniamo alla scena nel garage, quando il mio corpo svanisce.

Prima di continuare, però, forse è meglio che sappiate una cosa: non sono una ribelle.

Lo dico nel caso speriate che io sia una di quelle teste calde che si cacciano sempre nei guai e che si comportano in modo sfacciato con gli adulti.

Non è così, a meno che per voi diventare invisibili non corrisponda a cacciarsi in un guaio.

Come il giorno in cui me la sono presa con la maestra Abercrombie: è stato un incidente, l'ho già spiegato un migliaio di volte. Volevo chiamarla "strega" – che, lo ammetto, è già di per sé piuttosto maleducato, ma non tanto quanto la parola che inizia con le stesse tre lettere. Sono finita in un MARE di guai con la nonna. Ancora oggi, la signora Abercrombie pensa che io sia molto maleducata, anche se sono passati già quasi tre anni e le ho scritto una lettera di scuse sulla migliore carta da lettere della nonna.

(So che è ancora arrabbiata perché il suo cane, Geoffrey, ringhia tutte le volte che mi vede. Geoffrey ringhia a tutti, ma la signora Abercrombie dice sempre: «Smettila, Geoffrey»; eccetto quando lo fa con me.)

Comunque, io di solito me ne sto seduta tranquilla in fondo alla classe, a pensare ai fatti miei, a fare le mie cose, la-la-la, non-dare-fastidio-a-me-che-io-non-do-fastidio-a-te.

Ma sapete quello che dicono gli adulti, in quel tono studiato per sembrare perspicaci: «Ah, vedi... sono sempre quelli tranquilli, alla fine».

Come me. Una "tranquilla". Così tranquilla che sono quasi invisibile.

Il che, a pensarci, è piuttosto buffo.

Capitolo due

Quanto indietro volete che vada?

Se lo chiedete a me, tutto è iniziato con la storia della pizza. È stato quello a scombussolarmi al punto che ho perso un po' la testa, e poi tanto altro.

Ecco com'è andata.

Quando sono arrivata in aula, Jarrow Knight – chi altri, se no? – ha gridato: «La pizza è servita!», e quasi tutti hanno riso. Non una risata a crepapelle, più una risatina sputacchiante. La maggior parte dei miei compagni di classe non è *davvero* cattiva.

All'inizio non ho capito. Non avevo idea che parlasse di me. Pensavo di essere entrata in classe nel mezzo di una battuta, così ho sorriso e ho anche ridacchiato un po', come spesso si fa per non sentirsi esclusi.

Dev'essere sembrato abbastanza strano, ora che ci ripenso.

Un paio di giorni dopo Jarrow mi è passata accanto insieme a suo fratello e alcuni altri, mentre parlavo con le ragazze fuori dal laboratorio di Chimica, e ha detto a voce alta: «Jez, hai ordinato una pizza al salame piccante?», e poi si sono battuti un cinque, mentre Kirsten e Katie si guardavano i piedi.

Adesso l'avete capito? Il ricordo mi fa ancora male. (Ci saranno parecchi ricordi e dolori, in questa storia, quindi è meglio se ci facciamo l'abitudine.)

"La pizza è servita!" era riferito alla mia faccia.

Pizza uguale acne. Ovvero brufoli, foruncoli, papule e tutto l'universo pustoloso. Capito? Non cos'è l'acne, intendo la battuta.

A quanto pare la mia faccia ricorda la superficie di una pizza. Molto divertente. E comunque non è vero. Non sono messa così male.

Acne a dodici anni? Lo so, è un po' presto. Persino il dottor Kemp ha detto che la mia età si colloca "all'estremità più precoce dello spettro", anche se non è questo il dato anormale. No, "anormale" è un termine da riservare proprio alla mia acne: quella sì che si trova "all'estremità più grave dello spettro". Che poi è un modo gentile del nostro medico di famiglia per dire: "Caspita, ti è andata proprio *male*".

Vi risparmio i dettagli. Magari state mangiando mentre leggete queste pagine e non sono per nulla dettagli piacevoli.

Tutto questo è successo circa tre mesi fa. Grazie a quelle parole – Faccia da Pizza – ho capito un paio di cose importanti:

1. La mia strategia di tenere un profilo basso a scuola ha avuto scarso successo. Mi conoscono tutti come

la Ragazza Acne. Fino a quel momento gran parte delle cattiverie era stata riservata a Elliot Boyd, e a me stava bene. Se non fosse che poi sono diventata un bersaglio anch'io.

2. Molti sono convinti che l'acne sia contagiosa come una malattia. Voglio dire, non sono certo una sfigata che sta sempre da sola e che tutti prendono in giro. È solo che ci sto mettendo più tempo del previsto a crearmi un giro di amicizie, e inizio a chiedermi se non sia colpa dell'acne. La nonna dice: «Cerca di essere te stessa», il che sembra un ottimo consiglio. E credo che lo sia davvero, soprattutto per chi ha un'idea abbastanza chiara di se stesso, e io ce l'ho. O perlomeno ce l'avevo, finché non è andato tutto a rotoli. Nonna dice anche: «Se vuoi un buon amico, cerca di essere una buona amica». Ha sempre una battuta pronta. A volte penso che ne faccia collezione. Il problema è che fatico proprio a trovarle, le persone di cui essere amica.

3. Jarrow Knight è un vero incubo. Non è certo una novità: in coppia, lei e suo fratello sono puro veleno.

4. Devo per forza, a tutti i costi, fare *qualcosa* per la mia pelle.

L'acne è arrivata circa un anno fa con un singolo, minuscolo foruncolo sulla fronte. Quel foruncolo, mi piace pensare, era un soldato dell'Esercito dell'Acne in ricognizione. Ha fatto rapporto al quartier generale e nell'arco di poche settimane un intero reggimento di brufoli e punti neri si è accampato sulla mia faccia, ed è stato impossibile respingerli.

Poi l'Esercito dell'Acne ha iniziato a colonizzare altre parti di me. Il collo ha ospitato un plotone di papule, che sono davvero grosse, lucide, e fanno male. Sul petto è arrivata una compagnia di minuscoli punti neri, che a volte diventano bianchi e producono pus, e nell'arco di due mesi mi sono ritrovata un corpo di spedizione anche sulle gambe.

La cosa peggiore, però, è che la nonna non mi prendeva sul serio e questo mi faceva impazzire.

«Foruncoli, mia cara? Poveretta. Li avevo anch'io, e lo stesso tua madre. È solo una fase. Passeranno.»

Anche prima dell'incidente della pizza, le medie si erano rivelate decisamente meno divertenti delle elementari. Peraltro, mentre accadeva tutto questo, anche se è solo una coincidenza, Flora McStay – che era tipo la mia migliore amica – si è trasferita a Singapore, e Kirsten Olen ha cambiato classe e ha cominciato a uscire con i gemelli Knight.

Ma di loro parleremo più avanti.

Il punto è che mi serviva un piano per sbarazzarmi dell'acne, ed è stato così che i lettini solari e la medicina cinese sono entrati nella mia vita.

E no, diventare invisibile non faceva parte del piano. Questo dettaglio si trova decisamente "all'estremità ultima dello spettro".

Né – in caso serva dirlo – faceva parte del piano diventare amica di Elliot Boyd più dello stretto necessario.

Capitolo tre

Siamo ancora all'antefatto eppure non ve ne siete andati: molto bene.

Elliot Boyd, eh? Fetor Boy, come lo chiamano tutti, perché qualcuno una volta ha fatto una battuta che gli è rimasta incollata addosso come il fetore che dovrebbe emanare.

Il ragazzo che non piace a nessuno.

Sarà per l'altezza? Il peso? I capelli? L'accento?

O magari proprio la puzza?

Potrebbe essere una qualsiasi di queste cose, o magari tutte. È un ragazzone, alto come un paio di insegnanti, con una grossa pancia e in faccia una peluria bionda con cui forse si illude di mascherare il doppio mento.

In quanto all'odore, onestamente, non sembra poi così terribile, anche se mi sono sempre tenuta a una certa distanza: non volevo essere io a verificare il suo rapporto con sapone e deodorante.

Secondo me è il suo modo di comportarsi che dà sui nervi a tutti. Ultrasicuro di sé, prepotente, sfacciato, insistente e – l'aggettivo che preferisco – borioso. È una parola del professor Parker, lui è molto bravo con le parole.

Sapete una cosa, però? Penso che la vera ragione sia un'altra: Elliot Boyd viene da Londra. Dico sul serio. Ce l'hanno tutti con lui dal primo giorno perché ha esordito criticando il Newcastle United (è un tifoso dell'Arsenal, o così dice). Da queste parti, a meno che tu non abbia una scusa davvero valida, sei tifoso del Newcastle. Al massimo del Sunderland o del Middlesbrough. Ma di sicuro non una squadra londinese, nemmeno se vieni da Londra, a quanto pare.

Boyd è arrivato nella nostra classe all'inizio della seconda media. Non conosceva nessuno, quindi mi sarei aspettata che tenesse un profilo basso, invece no. E sono convinta di una cosa: pensava che sarebbe stato divertente, quello che ha fatto il primo giorno; un gesto spavaldo e un po' insolente, ecco, ma direi che non è andata come sperava lui.

Oltre a insegnarci Fisica, il professor Parker è il nostro docente di riferimento, che tiene il registro e tutto il resto. Ha battuto le mani e si è schiarito la voce.

«Bentornati, miei cari fortunelli, nel miglior *istituto per l'istruzione* di tutto il Nord-Est. È stata una pausa rilassante? Ottimo.»

Parla spesso così, il professor Parker. Un tempo faceva l'attore e porta sempre al collo un foulard, che – incredibile a dirsi – indosso a lui ha un certo fascino.

«Abbiamo in classe un nuovo arrivo! Dritto dalla soleggiata Londra... La ringrazio, Knight, ma si ricordi

24

una cosa: fischiano solo i fiaschi. Facciamo un bell'applauso a Elliot Boyd!»

A quel punto la classe – che aveva fatto questa recita con un paio di studenti nuovi – di solito applaudiva su indicazione del professore, e il nuovo arrivato faceva un po' il timido, sorrideva appena, diventava rosso e la faccenda si chiudeva lì.

Elliot Boyd, però, è scattato subito in piedi alzando entrambe le braccia in un gesto di trionfo mentre urlava a gran voce: «Ar-sen-al! Ar-sen-al!», e con questo l'applauso è morto sul nascere. A peggiorare le cose, ha aggiunto nel suo migliore accento londinese: «Che c'è adesso? Mai sentito parlare di una vera squadra di calcio?».

Wow, Elliot Boyd!, ho pensato. *Come farsi odiare all'istante!*

Da quel momento, almeno metà della classe ha deciso che lo detestava.

Eppure questo non lo ha scoraggiato, né lo ha reso meno spavaldo. Elliot Boyd era come uno di quei grossi cani irsuti che fanno gli sbruffoni con i cani più piccoli al parco e li spaventano a morte.

Peggio ancora, dopo la scuola ha cominciato a presentarsi davanti al mio armadietto, come se il fatto di condividere un pezzo di strada ci rendesse automaticamente amici.

Non. Se. Ne. Parla.

Se fosse stato per me, avrei continuato a ignorarlo, ma poi è entrato a far parte degli eventi, e del modo in cui sono diventata invisibile.

STRATEGIE PER SCONFIGGERE L'ACNE

1. Acqua e Sapone, un classico. Questo è stato il primo consiglio della nonna. «Per me ha funzionato» ha detto. Mi sono dovuta trattenere dal ribattere: "Già, ma erano i tempi bui del ventesimo secolo". Oltretutto il trattamento Acqua e Sapone si basa sull'idea che i brufoli vengano a chi non si lava la faccia, e questo non è vero.

2. Latte Detergente e Salviette Rinfrescanti. Il risultato è che i miei brufoli splendevano come fari nella nebbia, ma su un viso incredibilmente pulito. A volte mi chiedo se questo metodo non peggiori la situazione.

3. Eliminare i Grassi. È stato un mese davvero orribile. Questa teoria si basa sul fatto che la mia pelle a volte è un po' unta (un eufemismo da incorniciare e appendere al muro). Così se non avessi mangiato burro, formaggio, latte, roba fritta, condimenti per insalata e – come si è presto capito – nulla che fosse minimamente buono, allora non avrei avuto la pelle grassa. Non ha funzionato. E avevo molta fame.

4. Aglio e Miele. Tutte le mattine, sminuzzare tre spicchi d'aglio e mescolarli con un abbondante cucchiaio di miele liquido. Una schifezza. Peraltro inutile.

5. Crema per i Brufoli. Da spalmare ogni sera. Strano a dirsi, ma era una crema molto unta, e teme-

vo che avrebbe peggiorato le cose, ma non è stato così. Non le ha nemmeno migliorate, però.

6. La buona, vecchia Aria Fresca. Un'altra idea della nonna, che va a braccetto con Acqua e Sapone. L'unica a trarne vantaggio è stata Lady, che si è guadagnata un mese di passeggiate extra, almeno finché non mi sono accorta che il mio viso era identico a prima. Mi dispiace, Lady.

7. Omeopatia. Ci sono almeno cinque prodotti omeopatici da Holland & Barrett che promettono di sconfiggere l'acne. Su di me non ne ha funzionato nessuno.

8. Tè alle ortiche. Il sapore è proprio come lo immaginate. Anzi, peggio.

9. Vitamina B5. In internet la presentano come una "cura miracolosa". Passiamo oltre.

10. Antibiotici. Questo è stato il consiglio del dottor Kemp durante la seconda visita, dopo che gli ho mostrato questa lista. Una compressa di Septrin al giorno con l'incredibile risultato che... è rimasto tutto uguale a prima.

11. Ultimo Tentativo: *Il Decotto "Pelle Liscia" del dottor Chang*. Un acquisto in rete. La nonna ha detto che le sembrava sospetto e si è rifiutata di comprarlo, così sono stata costretta a ricorrere a un piccolo sotterfugio. Il dottor Chang, insieme a Elliot Boyd, gioca un ruolo fondamentale nel percorso che mi ha portato a diventare invisibile.

Capitolo quattro

La nonna mi ha raccontato che la mamma alla mia età aveva l'acne, ma che è diventata lo stesso "una bella signorina".

E lo era davvero. Nella fotografia che tengo in camera mia ha capelli corti di un biondo rossiccio e due enormi occhi un po' tristi. A volte quello scatto mi fa pensare che sapesse già di essere destinata a morire giovane, ma poi guardo altre fotografie dove ride e capisco che non era affatto una persona triste. Solo – non saprei – un po'... sopra le righe?

La ricordo appena, nel caso vi stiate chiedendo se la cosa mi faccia soffrire. È morta quando avevo tre anni. Cancro.

Mio padre se n'era già andato. Sparito nel nulla. "Una bella liberazione" è stato il verdetto della nonna. Tollerava a malapena di dire il suo nome (che è Richard, anche se per me ha più la faccia da Rick) e l'unica sua fotografia che mi è rimasta è un'immagine sgranata, scattata poco dopo la mia nascita con la mamma che mi tiene in braccio, e lui accanto che sorride. È un tipo smilzo, ha la barba, capelli più lunghi di quelli della mamma e occhiali scuri, come una specie di rockstar.

«Si è presentato ubriaco in ospedale» mi ha raccontato la nonna durante una delle nostre (assai) rare conversazioni sull'argomento. «Era sempre in quello stato.» Mamma e papà non erano sposati quando sono nata, anche se più avanti il matrimonio c'è stato. Ho preso il cognome della mamma, Leatherhead, che è anche quello della nonna. Eccolo sul mio certificato di nascita.

Compleanno: 29 luglio
Luogo di nascita: Ospedale St Mary, Londra
Nome della madre: Lisa Anne Leatherhead
Occupazione: insegnante
Nome del padre: Richard Michael Malcolm
Occupazione: studente

Eccetera eccetera.

La faccio breve. Peraltro è più o meno tutto quello che so. La nonna non è mai entusiasta di parlarne, penso che i ricordi la turbino troppo.

Si trasferì a Londra quando era piccola, ed è cresciuta lì. Lei e il nonno si separarono negli anni Ottanta. Lui ora vive in Scozia con la seconda moglie (Morag? Non ricordo). La mamma aveva ventitré anni quando sono nata. Lei e papà non avevano in programma di metter su famiglia, dice la nonna: sono capitata e basta.

Mio padre è sparito che ero ancora uno scricciolo. Nessuno ha chiamato la polizia. Niente misteri. Ha semplicemente deciso di "uscire di scena", e stando alle ultime notizie che mi ha riferito la nonna ora si trova in Australia.

L'ultima volta che abbiamo parlato di lui è stata qualche settimana fa.

La nonna e io prendiamo sempre il tè, non appena torno a casa da scuola, fin da quando avevo sette anni circa. Lo so: quasi tutti a sette anni bevono succo di frutta o latte, ma non io. Tè e torta, oppure biscotti. E scordatevi le tazze mug: abbiamo una vera teiera, tazzine di porcellana e piattini, con tanto di zuccheriera anche se non usiamo lo zucchero. È solo per fare scena. All'inizio non mi piaceva il tè. Era troppo caldo. Ora però ne vado matta.

A scuola, durante le ore di Educazione civica con il professor Parker, abbiamo parlato dei mestieri. Ero in fondo alla classe e me ne stavo zitta come da copione, quando la conversazione è finita sui lavori dei genitori e su come spesso i figli seguano le loro orme. Tutto quello che so di mio padre è che era uno studente, come è dichiarato sul mio certificato di nascita.

Ci ho messo un paio di giorni, per capire come tirare fuori il discorso. Mentre versava il tè, ho chiesto alla nonna perché papà sia sparito: un primo passo per arrivare a chiedere che cosa studiava.

Invece di darmi una risposta chiara, ha detto: «Tuo padre aveva una vita molto sregolata, Ethel».

Ho annuito, senza davvero capire.

«Beveva molto. Amava troppo il rischio. Non voleva responsabilità.»

«Pe... perché?»

«Non lo so, tesoro. Penso dipenda da una certa debolezza di spirito. Era debole e irresponsabile. Alcuni uomini non sono in grado di affrontare la paternità e tutto ciò che comporta» ha spiegato la nonna. Le erano scivolati gli occhiali sul naso e mi ha guardato da sopra le lenti mentre aggiungeva: «Tuo padre, credo, era uno di questi».

È la cosa più gentile che abbia mai detto di lui. È raro che lo menzioni senza usare le parole "ubriaco" e "infantile". Le si irrigidiscono sempre le spalle, e parla a labbra tese: si capisce che preferirebbe discutere di qualsiasi altra cosa che non sia lui.

Non ci siamo spinte fino a parlare di cosa studiasse, perché la nonna ha cambiato argomento, ha voluto raccontarmi di come quella mattina aveva sgridato un giovanotto in metropolitana con i piedi appoggiati sul sedile.

Comunque adesso ci siamo solo io e la nonna, e abitiamo nel posto dov'è nata, sulla costa ventosa del Nord-Est, in una cittadina chiamata Whitley Bay. Secondo la nonna, però, non abitiamo proprio a Whitley Bay ma a Monkseaton, che è una zona un po' più elegante, e che secondo gran parte delle persone comincia tre o quattro strade più in là, verso ovest. Io resto convinta che si tratti di Whitley Bay. Così viviamo felicemente nella stessa casa, ma a quanto pare in città diverse.

Be', non siamo proprio sole. C'è anche la bisnonna, che è la mamma della nonna. Non che sia troppo presente. Ha quasi cento anni e secondo la nonna "ha perso qualche colpo", però lo dice senza cattiveria. Alcuni anni fa ha avuto un ictus, che è quando ti sanguina il cervello; ci sono state delle complicazioni e non si è mai ripresa del tutto.

La bisnonna abita in un ospizio a Tynemouth, a circa tre chilometri da qui. Non parla molto. L'ultima volta che sono andata a trovarla, i miei brufoli erano messi davvero male, e lei ha alzato la sua minuscola mano da sotto lo scialle per accarezzarmi il viso. Poi ha aperto la bocca, come se volesse dire qualcosa, ma non ne è uscito nulla.

A volte mi chiedo che cosa sarebbe successo se avesse detto qualcosa. Avrebbe cambiato il corso degli eventi?

Capitolo cinque

Eccolo qui. Ancora una volta. La terza in una settimana.

È successo due giorni prima che diventassi invisibile, quindi portate pazienza: tra poco ci torniamo.

«Eff, come butta?» mi ha chiesto. «Vai a casa? Ti faccio compagnia, che ne dici?»

Non mi ha dato molta scelta: è comparso proprio mentre chiudevo l'armadietto, come se si fosse appostato lì in attesa.

(Nel frattempo avevo cercato "borioso" sul dizionario. Vuol dire "pieno di sé", che è un'ottima descrizione di Elliot Boyd. E ci sono parecchie altre cose che mi danno fastidio, a partire dai diminutivi e dalle storpiature del mio nome. Tanto più se pronunciato in modo strano, con la *t* che diventa *f*. Lo so, è solo il suo accento londinese, ma già mi ritrovo con un nome vecchio di un secolo, vorrei almeno che venisse pronunciato come si deve.)

Così siamo tornati insieme a casa, mentre Elliot Boyd parlava senza sosta del suo argomento preferito della settimana: il faro di Whitley Bay. Se non altro aveva lasciato perdere i trucchi con le carte, la sua ossessione del mese scorso.

Il faro si trova alla fine della spiaggia. Non fa nulla, eccetto stare sulle cartoline. Non si accende mai, ed è questo che dà sui nervi a Elliot Boyd. (A lui e nessun altro, per quanto ne so.)

Ho scoperto, senza nemmeno averlo chiesto, che:

1. È stato costruito nel milleottocento-e-qualcosa, anche se in quel punto c'è un faro più o meno da sempre.
2. Un tempo era il faro più luminoso della Gran Bretagna. Immagino che questo dettaglio sia *davvero* interessante.
3. Si può arrivare fino in cima passando da una porta sul retro che non è mai chiusa a chiave.

C'è qualcosa di vagamente patetico nell'entusiasmo di Boyd. Dev'essere perché non è nato da queste parti. Per chiunque altro, è solo il faro abbandonato in fondo alla spiaggia. Sta lì e basta.

Per Elliot Boyd, invece, è un modo per rendersi simpatico agli altri. Lui fa finta, secondo me, di non dare peso a quello che pensa la gente, ma in realtà gli importa tantissimo, e forse spera che la situazione cambierà se dimostra interesse per un pezzo di storia locale.

Potrei sbagliarmi, naturalmente.

Forse:

a) È solo un noioso nerd. Oppure
b) cerca di nascondere qualcosa, con tutte queste chiacchiere. Ho notato che non parla mai di se stesso né dei suoi genitori: parla sempre di *qualcosa*. Magari sbaglio. È solo una sensazione. Ma ho intenzione di scoprirlo alla svelta: gli farò una domanda sulla sua famiglia e starò a vedere come reagisce.

A ogni modo, mi sono spenta e ho lasciato che continuasse con le sue chiacchiere, perché sulla destra si stava avvicinando un negozio sul quale tenevo gli occhi da un paio di settimane.

Whitley Road è un lungo susseguirsi di caffè mezzi vuoti, negozi di beneficenza, saloni per rifarsi le unghie ("un po' grezzi" direbbe la nonna) e due centri abbronzatura con l'ingresso adiacente, Geordie Bronze e Centro abbronzatura Whitley Bay, che vince il premio per il nome meno fantasioso della strada.

Era la vetrina di Geordie Bronze che stavo guardando. C'era un enorme cartello scritto a mano che diceva SVENDITA TOTALE e, se i negozi potessero sorridere, ci sarebbe stato senza dubbio un sorrisetto compiaciuto stampato sulla faccia del vicino concorrente.

Non avevo cuore di dire a Elliot Boyd di chiudere la bocca/sparire/smetterla di tormentarmi con la storia del faro e del piano che aveva in mente, però speravo con tutta me stessa che ci desse un taglio.

Chi. Se. Ne. Importa.

«Davvero, Eff, non è mica difficile! Raduna un bel gruppetto, metti in piedi una campagna online e il gioco è fatto. Potremmo chiamarla *Light the Light*... hai presente, come la canzone?»

Si è messo a cantare. Per strada, e nemmeno a voce bassa.

«Light the light, I need your love tonight! Da da da... così e cosà... love tonight!»

La gente ha cominciato a voltarsi.

«È un punto di riferimento per le navi, oppure no? Dovrebbe splendere: essere una guida per il mondo. Altrimenti che senso ha averlo lì, eh, me lo dici?...»

E via così, all'infinito. Durante la prima ora, nell'aula dove facciamo l'appello, ha presentato una piccola ricerca sui fari. Non lo ascoltava nessuno. Pensano tutti che sia matto.

Le luci dentro Geordie Bronze erano quasi tutte spente, ma c'era una donna seduta al banco della reception a leggere una rivista.

«Faccio un salto qui dentro» ho detto mentre mi avvicinavo all'ingresso. «Non c'è bisogno che mi aspetti.»

«Nessun problema, Eff. Ti aspetto qui. In effetti è... un posto da ragazze, giusto?»

Sapevo cosa intendeva. I centri abbronzatura, come i parrucchieri o i saloni per rifarsi le unghie, per i maschi della sua età sono terre aliene.

Ma torniamo a me: essere in grado di parlare con gli sconosciuti, secondo la nonna, è fondamentale. Non ha mai detto che considera la timidezza una cosa grezza

– non è matta fino a questo punto – ma è convinta che sia un difetto "da non assecondare".

«Chiunque ha più di dieci anni» mi ha detto il giorno del mio decimo compleanno, «deve imparare a tenere la testa alta e a parlare in modo chiaro: se riesci a farlo, ti metti sullo stesso piano degli altri.»

Così ho raddrizzato la schiena e spinto la porta, facendo tintinnare il campanello; al mio ingresso, la ragazza ha sollevato lo sguardo dalla rivista.

Aveva extension biondo chiaro e stava masticando una gomma. Indossava una tunica bianca(stra) con i bottoni laterali, come il camice degli igienisti dentali, e il colore del tessuto faceva risaltare ancora di più il suo viso abbronzato.

Ho sorriso e mi sono avvicinata al banco della reception.

«Buongiorno» ho detto.

(Per inciso, la nonna consiglia di aggiungere "piacere di conoscerla" quando s'incontra qualcuno per la prima volta, ma lei ha sessant'anni e io no.)

Stando al cartellino che portava appuntato al camice, la ragazza dietro il banco si chiamava Linda. Mi ha risposto con un cenno del capo e per un istante ha smesso di masticare.

«Ho visto che vendete l'attrezzatura» ho aggiunto.

Lei ha annuito. «Proprio così.»

È seguita una breve conversazione, durante la quale ho scoperto che c'erano in vendita tre cabine solari total body, perché Geordie Bronze era uscito sconfitto dalla "battaglia dei prezzi" con il centro abbronzatura lì accanto. Ora avrebbe cessato l'attività, o qualcosa del genere.

I lettini potevano essere miei per "duemila ciascuno". Duemila sterline.

«Capisco» ho risposto. «Grazie lo stesso.» E mi sono voltata per uscire.

«Aspetta, tesoro» mi ha fermato Linda. «È per te?»

«Ehm... sì.»

«Per via...» E si è indicata col dito il profilo del viso, come a dire: "È per i brufoli?".

Ho annuito, mentre pensavo: *Che faccia tosta!*

Mi ha rivolto un mezzo sorriso, ed è stato allora che l'ho notato: sotto il trucco pesante, aveva guance butterate come la scorza di un pompelmo.

Cicatrici da acne.

«Tesoruccio. T'è capitata davvero brutta, eh? È successo anche a me, quando avevo più o meno la tua età.» Ha fatto una pausa, poi ha guardato meglio, inclinando la testa, e ha aggiunto: «Anche se... ecco, non era proprio così brutta».

Grazie tante, eh. Poi mi ha fatto cenno di seguirla nel retro del negozio, dove ha tolto un lenzuolo da sopra un lungo lettino solare bianco, e poi ha sollevato il coperchio.

Immagino che abbiate già visto un lettino solare, giusto? Ci si sdraia dentro, si abbassa il coperchio, ed è come stare rinchiusi dentro un tostapane gigante. Sopra e sotto si accendono le lampade UV e, be', direi che è tutto.

«È vecchio e scassato» ha detto Linda, strofinando un graffio sul coperchio. «Ma funziona ancora. Solo che non siamo autorizzati a usarlo a livello commerciale. Nuovi regolamenti. Non possiamo nemmeno venderlo. Domani finirà alla discarica.»

Per farla breve, me l'ha ceduto a costo zero (già, proprio così!) e cinque minuti dopo Elliot Boyd e io lo stavamo trasportando lungo Whitley Road, uno davanti e l'altro dietro.

A metà strada ci siamo fermati per prendere fiato. Lui ansimava molto più di me.

«Non ho mai preso il sole» ha detto. «Mai stato all'estero.»

Se mi stava suggerendo di invitarlo a casa mia per usare il lettino solare, avrei fatto la gnorri. Pensavo che nemmeno lui sarebbe stato tanto sfacciato da chiederlo in modo esplicito.

«Mi stavo domandando... visto che ti aiuto a portarlo a casa, non è che posso usarlo ogni tanto?»

Mmm. Astuto. Non ero nella posizione di rifiutare. Sarebbe stato maleducato da parte mia, e lui era così soddisfatto che ha continuato a blaterare, facendo ipotesi su quando sarebbe venuto a provarlo e su quanto si sarebbe abbronzato; così mi sono tappata virtualmente le orecchie, mentre continuavo a trascinare quell'affare lungo il marciapiede.

Dopo una sudata di quindici minuti, sono riuscita a fare spazio in garage. Ho messo il lettino in posizione verticale e l'ho coperto con un lenzuolo, in modo che si confondesse col resto: il vecchio guardaroba, una pila di scatole e altre cianfrusaglie per il mercatino della chiesa.

La nonna e Lady erano fuori. E il garage lo usiamo solo come cantina.

Visto che la nonna ci entra di rado, speravo di tenerla all'oscuro di tutto. L'ultima cosa che volevo era che mi proibisse di usare il lettino solare, perché "grezzo" o poco sicuro, o perché consumava troppa corrente o… non lo so. La nonna a volte è strana. Non si può mai dire.

Boyd era paonazzo e sudato.

«Vedrai come ti abbronzi» ha detto.

Era carino da parte sua fare conversazione, ed era stato gentile ad aiutarmi con il lettino solare, così ho risposto: «Sì, ehm… grazie per, ecco…».

C'è stato un silenzio imbarazzato, poi ho aggiunto: «Allora, ecco… forse è meglio, sai… ehm…».

E lui ha risposto: «Ok, ehm… io… sai… ehm… ci vediamo».

Nient'altro. Poi se n'è andato.

Quando è rientrata la nonna, stavo cercando di non vomitare, mentre trangugiavo a fatica la mia dose quotidiana di *Decotto "Pelle Liscia" del dottor Chang* (erano passate tre settimane senza alcun segno di miglioramento).

«Ciao, nonna!» ho esclamato mentre entrava in cucina.

La nonna mi ha fissato con sospetto. Ci avevo messo troppo entusiasmo?

Ma forse stavo rimuginando eccessivamente.

Più tardi ho ripensato al viso tondo e sudato di Elliot Boyd e mi sono resa conto che gli ero stata parecchio vicina, ma che non puzzava affatto.

Capitolo sei

Il giorno dopo, sabato, naturalmente morivo dalla voglia di provare il mio lettino solare, ma non potevo perché era il centesimo compleanno della bisnonna e c'era una piccola festa alla casa di riposo.

Dico "festa" quasi fosse un party scatenato, ma naturalmente non lo è stato affatto, visto che io e la nonna siamo più o meno gli unici familiari della bisnonna. C'erano la torta, un gruppetto di persone dalla chiesa, gli altri ospiti della struttura e il personale del Priory View, e poco altro.

La bisnonna, nei miei ricordi, abita lì da sempre. Quando la nonna è tornata nel Nord-Est, la bisnonna viveva ancora in una vecchia e grande casa a Culvercot, tutta sola. Il bisnonno era morto anni prima, e poi la bisnonna è caduta in cucina. (La nonna dice sempre che "ha fatto una brutta caduta", ma io lo trovo strano. Non faccio mai "una caduta". Se mi capita di cadere, cado e basta.)

La casa è stata venduta, ne hanno ricavato degli appartamenti e la nonna si è trasferita a Whitley Bay. La casa di riposo sovrasta una piccola spiaggia e le rovine del vecchio monastero sulla scogliera.

È un posto molto tranquillo, e *molto* caldo. Non appena superi il portone, la fresca brezza marina che senti all'esterno lascia il posto a una cappa soffocante, che profuma di superpulito e allo stesso tempo di sporco. Gli odori puliti sono quelli del disinfettante, della vernice da legno e del deodorante per ambienti; gli odori un po' meno puliti quelli del cibo da mensa scolastica e altre cose che non riesco a identificare, o forse non voglio.

La camera della bisnonna si affaccia su un corridoio coperto da una spessa moquette. La porta è socchiusa. Riesco a sentire l'infermiera che le parla in tono allegro, ad alta voce, con un marcato accento locale.

«Eccoti qui, Lizzie, tesoro bello. Sono in arrivo delle visite per la nostra festeggiata: sarà un bellissimo compleanno! Facciamo le brave, eh? Ti tengo d'occhio!»

Mentre usciva dalla stanza, l'infermiera ci ha fatto l'occhiolino, e io come sempre ero un po' perplessa: perché le parlano così? Avrei voluto rincorrere l'infermiera e dirle: "Ha cento anni! Perché le parlate come se ne avesse sei?".

Ma ovviamente non lo faccio mai.

La bisnonna si chiama Elizabeth C. Freeman. La nonna ha spiegato al personale che nessuno l'ha mai chiamata Lizzie e che di certo preferirebbe essere chiamata signora Freeman, ma loro avranno pensato che si dava troppe arie.

So che non dovrebbe essere un peso andare a trovare la bisnonna, però è così. Non è per lei. La bisnonna è una vecchietta dolce e indifesa. No: il problema sono io. Odio il fatto che andare a trovarla mi sembri un dovere, odio annoiarmi e sentirmi a disagio.

Peggio ancora, quel giorno avrebbe dovuto essere speciale. Cento anni? È decisamente incredibile. Avrei tanto voluto essere più entusiasta.

Poi la nonna ha cominciato a parlare. È quasi sempre un monologo, perché la bisnonna risponde di rado, preferisce guardare fuori dalla finestra e annuire, con un mezzo sorriso che ogni tanto le affiora sulle labbra. A volte si addormenta persino. Sembra minuscola in quella grande poltrona, sostenuta dai cuscini, con la sua piccola testa e i ciuffi di capelli bianchi che spuntano dalla coperta di lana.

«Allora, mamma, cosa hai fatto di bello? Sei uscita per la passeggiata? C'è un po' di vento oggi, non è vero, Ethel?»

«Sì, un sacco di vento.»

Di solito non sono tenuta a dire molto, me ne sto seduta sulla sedia accanto alla finestra, a guardare le onde e a fissare i minuti che passano sull'orologio vicino al letto. Di tanto in tanto faccio un commento, e a volte mi siedo accanto alla bisnonna per tenere la sua minuscola mano: penso che le faccia piacere, perché risponde con una debole stretta.

La visita sembrava destinata ad andare così anche questa volta, se non fosse che alla fine è successa una cosa strana.

Dopo qualche minuto di conversazione, la nonna ha borbottato qualcosa a proposito del *sausage roll* da scaldare ed è uscita dalla stanza per andare a parlare con il personale della cucina.

Subito la bisnonna si è voltata verso di me e, per un breve istante, mi è parso che i suoi occhi grigi e acquosi mi scrutassero con attenzione. All'inizio ho pensato che fosse attratta dai miei brufoli, così mi sono spostata, già pronta a dileguarmi, ma lei mi ha stretto la mano un po' più forte, allora sono rimasta lì, e ho capito che non stava studiando la mia pelle. Invece mi guardava dritto negli occhi, e poi mi ha stupito con una frase compiuta:

«Quanti anni hai, bardottina?».

(La bisnonna mi chiama così. È un nomignolo affettuoso, un tempo molto diffuso da queste parti. Credo che la bisnonna sia l'unica persona ancora in vita a ricordarlo. Non mi chiama mai Ethel. Solo bardottina.)

Le parole le sono uscite di bocca in tono rauco e sommesso: era la prima volta che parlava, quella mattina.

«Ho quasi tredici anni, bisnonna.»

Ha annuito appena. Poi la nonna è tornata nella stanza, ma la bisnonna non se n'è accorta.

Invece ha detto: «Tiger».

Solo così. "Tiger."

E poi, con un grande sforzo, ha aggiunto: «Pss-cat».

Mi sono protesa verso di lei: «Che cosa?».

E lei ha ripetuto, scandendo meglio: «Tiger. Pussycat».

Mi ha indicato con un debole sorriso.

Ho guardato la nonna, che è *sbiancata* all'improvviso. Dico davvero: il volto le si è prosciugato di ogni colore. E poi, forse rendendosene conto, ha iniziato a parlare ad alta voce e a muoversi in modo energico, annunciando: «La festa comincia ora. Ci diamo una sistemata, mamma? Ho spiegato in cucina che non vogliamo subito i *sausage roll*...». E via così. Un lungo monologo sulle cose da fare, che aveva il chiaro obiettivo di distrarre l'attenzione da ciò che aveva appena detto la bisnonna.

Per me non significava nulla. Non avevo alcun indizio. Tiger? E poi aveva detto... pussycat? Tigri, micetti o cos'altro? Il fatto è che la bisnonna ha cento anni, forse le manca qualche rotella, ma non è *rimbambita*.

Si è voltata verso la nonna. Aveva ancora lo stesso sguardo concentrato e, solo per un istante, è stato come vedere una persona che aveva la metà dei suoi anni.

«Tredici» ha ripetuto. C'era qualcosa, in quella situazione, che non riuscivo a spiegarmi, ma forse non ci avrei dato troppo peso, se la nonna non fosse diventata all'improvviso così spiccia e sbrigativa.

«Sì, è cresciuta in fretta, non è vero, mamma?» ha detto con una risatina forzata. «Come corre il tempo, eh! Santo cielo, guarda l'ora! Meglio scendere in salotto. Ci stanno aspettando.»

UNA CONFESSIONE

C'è un altro problema quando vado a trovare la bisnonna, perfino in un giorno felice come il suo compleanno. Le persone anziane mi rendono triste.

Ecco come la vedo: io sto iniziando a crescere, mentre loro hanno finito di farlo un sacco di tempo fa e ora stanno *de*crescendo. È già successo tutto, per loro, e non devono decidere più nulla, come i bambini piccoli.

C'è un ospite della casa di riposo molto anziano e molto sordo, e il personale deve sempre urlare per farsi capire. Gridano così tanto che li sentiamo tutti, il che per certi aspetti è divertente e per altri non lo è affatto.

«EEH, STANLEY! HO VISTO CHE STAMATTINA C'È STATO UN PO' DI MOVIMENTO INTESTINALE!» ha gridato una volta una delle infermiere. «CHE MERAVIGLIA! È TUTTA LA SETTIMANA CHE LO ASPETTAVI, VERO?»

Povero, vecchio Stanley. Quando sono passata davanti alla sua stanza, mi ha sorriso; la porta è sempre aperta. (Molte delle porte sono aperte, in realtà, e non si può fare a meno di dare una sbirciata dentro. È come uno zoo con il riscaldamento al massimo.) Quando mi ha sorriso, è sembrato all'improvviso più giovane di settant'anni, e così ho sorriso anch'io, ma poi mi sono sentita

di nuovo triste e in colpa: perché ero felice che
sembrasse più giovane?
Cosa c'è di sbagliato nell'essere vecchi?

Capitolo sette

La bisnonna è stata portata fuori dalla stanza in sedia a rotelle dal personale, mentre la nonna si affrettava a seguirla, e io sono rimasta da sola a fissare il mare.

C'era qualcosa che mancava. Qualcuno.

La mia mamma. Avrebbe dovuto essere lì. Quattro generazioni di donne della stessa famiglia e una di queste – la mia mamma – rischiava di essere dimenticata.

Cosa ricordate di quando eravate molto piccoli? Prima di compiere, diciamo, quattro anni?

La nonna dice che lei non ricorda quasi nulla.

Io la vedo così: la memoria è come una caraffa che diventa sempre più colma. All'età della nonna la memoria è quasi piena, così devi iniziare a sbarazzarti di qualcosa per liberare spazio e la cosa più semplice è partire dal tempo più lontano.

Per quanto mi riguarda, però, i ricordi di quando ero piccola sono tutto ciò che mi resta della mamma. Insieme a una piccola collezione di oggetti, nient'altro che una scatola di cartone con il coperchio.

Quello a cui tengo di più è una maglietta; l'oggetto

più grande all'interno della scatola, il primo che vedo quando sollevo il coperchio. Una semplice maglietta nera. Era della mamma e ha il suo profumo, ancora adesso.

Quando apro la scatola, che sta dentro il mio armadio la maggior parte del tempo, prendo la maglietta e la porto al naso, poi chiudo gli occhi. Cerco di ricordare la mamma e di non essere triste.

L'odore, come il ricordo, è quasi sbiadito. È un misto di profumo muschiato, detersivo per lavatrice e sudore, ma un sudore *pulito*: non la puzza di formaggio che attribuiscono a Elliot Boyd, anche se devo dire che io non l'ho mai sentita. È solo l'odore di una persona. La mia persona, la mia mamma. Si sente più forte sotto le ascelle, il che può sembrare disgustoso ma non lo è. Un giorno l'odore se ne andrà per sempre. Questo mi spaventa un po'.

C'è anche un biglietto in rima con gli auguri di compleanno, che ormai conosco a memoria.

A una bimba piccola
questo biglietto porta
la sua prima fiaccola
sopra una dolce torta.

E poi, scritto a mano in una grafia tondeggiante e ordinata: "Alla mia Boo, tanti auguri di buon compleanno dalla tua mamma xoxox".

Boo era il soprannome che mi aveva dato la mamma.

La nonna dice che non ha mai voluto usarlo perché era una cosa speciale, tutta nostra, e mi piace che sia così. È come se avessimo un segreto, la mamma e io, una parola che condividiamo solo noi.

Il bello di questo biglietto è che ha preso l'odore della maglietta, così oltre a profumare di carta, sa della mia mamma.

Stavo pensando giusto a questo, seduta nella stanza della casa di riposo, quando la nonna ha interrotto le mie riflessioni.

«Vieni anche tu, Ethel, o ti sei persa nel mondo dei sogni? E cos'è quel muso lungo? C'è una festa!»

Non perdo tempo a raccontarvi com'è andata, perché potete immaginarvelo da soli... eccetto un altro fatto strano che è capitato verso la fine.

LA FESTA DELLA BISNONNA

Invitati:
Circa venti persone. Se escludiamo me e l'assistente sanitaria Chastity, tutti gli altri erano vecchi o molto vecchi.

Che cosa indossavo:
Un abito lilla con una fantasia a fiori e il cerchietto coordinato. La nonna pensava che fossi deliziosa. Non lo ero. Le ragazze come me dovrebbero essere libere di indossare sempre jeans e maglietta finché non si esaurisce la fase goffa-brufolosa-tutta-ossa. Sembravo una brutta ragazza con un abito grazioso in versione cartone animato.

Che cosa ho detto:
«Buongiorno, grazie per essere venuti... Sì, ho quasi tredici anni... No, non ho ancora deciso che scuola farò dopo le medie... No [timida, falso sorriso], ancora nessun ragazzo...». (Posso dire una cosa? Perché gli anziani pensano di poterti chiedere se hai un fidanzato? È un diritto che acquisisci quando raggiungi i settant'anni?)

Che cosa ho fatto:
Ho servito da mangiare. La nonna mi aveva chiesto consiglio per allestire il buffet, ma la mia

proposta – gelatine alla frutta e nachos – è stata ignorata. Invece c'erano olive, involtini di bacon con prugne secche (bleah, ma a chi è venuta quest'idea?) e microscopici tramezzini al cetriolo. La possibilità che qualcosa di tutto questo mi finisse in bocca rasentava lo zero.

Che cosa ha fatto la bisnonna:
È rimasta seduta al centro della stanza, sorridendo con aria assente e rivolgendo un cenno di saluto alle persone che si avvicinavano per congratularsi con lei. Pensavo che non fosse del tutto presente, che non capisse bene che cosa stava succedendo. Come si è intuito più tardi, su questo punto mi sbagliavo.

La fotografia:
Un fotografo del *Whitley News Guardian* ha scattato una fotografia in cui ci siamo io, la nonna e la bisnonna accanto a un'enorme torta. Invece di una grossa macchina fotografica con il flash che esplodeva a ogni scatto, il giornalista si è presentato con un minuscolo apparecchio digitale. Ero un po' contrariata: voglio dire, se proprio devi finire sul quotidiano locale, dovrebbe essere qualcosa di eclatante, un momento speciale, non vi pare? (Ironia della sorte: di fatto quella fotografia ha avuto conseguenze piuttosto eclatanti.)

Capitolo otto

Alla festa c'erano anche la signora Abercrombie con Geoffrey, il suo Yorkshire a tre zampe, che si stava esibendo nel suo ringhio rabbioso-malmostoso; e su questo punto ho una nuova teoria. La ragione per cui è così astioso è che non lo lascia mai libero di scorrazzare. Lo tiene sempre in braccio. Sarei nervosa anch'io se dovessi stare costantemente incollata all'enorme petto della signora Abercrombie.

La nonna aveva un bell'aspetto. «Un autentico splendore» ha detto il reverendo Henry Robinson.

Sorseggiava acqua frizzante da un bicchiere e sorrideva gentilmente a chiunque le rivolgesse la parola: il massimo grado di felicità che è in grado di esprimere. Non ride quasi mai: «Le signore non ridono in modo sguaiato, Ethel. È già abbastanza brutto quando lo fa un uomo. Per una donna è davvero inopportuno».

(A questo proposito, però, mi sono fatta una certa idea, che non ha nulla a che vedere con l'essere "inopportuno". Penso che, nel profondo, la nonna sia triste. Non per me, né per la bisnonna, ma per un'altra ragione. Forse è solo per la mamma, ma credo che ci sia dell'altro.)

Il parroco è stato l'ultimo ad andarsene. Ha suonato *Tanti auguri a te* al pianoforte e poi un brano di musica classica che sapeva a memoria, e tutti hanno applaudito. Il vecchio Stanley ci ha messo un sacco di entusiasmo nel battere le mani e ha gridato: «Bravo! Bravo!», finché una delle infermiere non gli ha detto di calmarsi, quasi fosse un bambino cattivo, il che mi è parso un po' meschino.

Quando il reverendo Robinson se n'è andato, la nonna è diventata nervosa; c'eravamo solo io, lei, la bisnonna e gli assistenti sanitari che stavano pulendo.

«Santo cielo, mamma, guarda che ore sono! Abbiamo proprio fatto baldoria.» "Baldoria" è un'altra delle parole della nonna, che sta per "festa", anche se era solo l'una del pomeriggio. A quanto pare, man mano che diventi vecchio, devi anticipare l'orario delle feste.

Che ci fosse qualcosa di strano nell'aria, lo sospettavo già, altrimenti il comportamento della nonna mi avrebbe messo in allerta. Era impaziente di andarsene.

Le sue parole – "guarda che ore sono" – hanno avuto un certo effetto sulla bisnonna, come se qualcuno le avesse spento l'interruttore. Lo sguardo è tornato assente, la testa ha ripreso il suo costante annuire, e la cosa è finita lì.

Più o meno.

Quando mi sono chinata per baciare la bisnonna sulla pelle sottile come carta, lei mi ha sussurrato: «Torna a trovarmi, bardottina».

«Certo» ho risposto. «Torniamo presto.»

Gli occhi della bisnonna sono scattati verso la nonna, ormai sulla porta, e dal modo in cui l'ha fatto ho capito subito che cosa intendeva.

"Torna senza di lei" voleva dirmi.

Questa è la cosa strana di cui vi parlavo. Questa, e la faccenda della tigre.

Che cosa stava succedendo? E di qualunque cosa si trattasse, perché la nonna era così preoccupata?

Capitolo nove

Siamo tornate a casa in macchina. Nei tre chilometri di viaggio avrei potuto chiedere alla nonna: "Che cosa intendeva la bisnonna quando ha detto 'tiger' e 'pussycat'?".

Peccato che sia stato impossibile, perché nell'istante stesso in cui ci siamo ritrovate da sole in auto la nonna si è lanciata in un fiume quasi ininterrotto di chiacchiere che poteva anche essere un tentativo deliberato di frenare la domanda che mi bruciava sulla punta della lingua.

Il reverendo Henry Robinson qua, la signora Abercrombie là, il *sausage roll* che non era stato riscaldato come aveva chiesto, il meraviglioso inglese parlato da «quella graziosa ragazza straniera» (Chastity), persino il motivo del tappeto («Le trovo appena appena grezze, quelle spirali») e avanti così... ancora e ancora.

Lo giuro, non ha preso fiato nemmeno una volta.

Non avrei potuto usare il lettino solare, già lo sapevo. Perché potessi farlo, la nonna doveva assentarsi da casa per un po' e non sarebbe capitato fino al giorno dopo, quando aveva da fare in chiesa e con uno dei suoi comitati.

Avrei avuto la mattina tutta per me. Così, anche se ero un po' confusa rispetto a quello che era successo con la nonna e la bisnonna, mi sentivo anche elettrizzata, perché molto presto avrei sperimentato la mia nuova tattica sbaraglia-acne.

I lettini solari, comunque, rientrano senza dubbio nella categoria di cose che la nonna definirebbe "un po' grezze". È una lista davvero lunga:

- Lettini solari, come ho già detto. E qualunque tipo di finta abbronzatura.
- Tappeti con motivi a spirale, a quanto pare. Ma solo "appena appena".
- Tatuaggi e piercing.
- Buchi alle orecchie prima dei sedici anni.
- Usare i nomi di città per i propri figli, vedi Jarrow e Jesmond Knight. Brooklyn Beckham invece non rientra nella categoria, perché una volta la nonna ha incontrato David Beckham durante un evento benefico e a quanto pare è un "vero gentiluomo". Che usa un ottimo profumo.
- Abiti firmati. E qualsiasi altra cosa firmata: cucine, borsette e così via.
- Quasi tutti quelli che vanno in televisione.
- Cestini pensili.
- Se state per roteare gli occhi davanti all'assurdità di questa lista, sappiate che anche roteare gli occhi è considerato grezzo.

E potrei continuare, sapete? La lista potrebbe occupare tutto il libro, e non ho nemmeno cominciato a elencarvi le cose che invece sono "terribilmente grezze". Ecco la classifica odierna del "terribilmente grezzo":

- Mangiare per strada.
- Tutto il palinsesto televisivo diurno, e le persone che guardano la televisione di giorno, soprattutto se seguono i canali di Sky invece della BBC.
- Il calcio (escluso David Beckham, per le ragioni spiegate sopra).

"Grezzo", nel caso non lo abbiate capito, non c'entra nulla con il legno o la lana. Grezzo, nel senso in cui lo intende la nonna, vuol dire che "manca di buon gusto, è ineducato, pacchiano" e non dev'essere confuso con qualcosa di "volgare", che per la nonna di solito è accettabile, per quanto la differenza sia piuttosto vaga.

L'*Eurovision* è volgare, dice la nonna, però lo adora. *X Factor* invece è grezzo, e non vuole vederlo per nessuna ragione.

Il calcio, come ho già detto, è grezzo. Il rugby è volgare.

Ne volete altri? D'accordo. Fish and chips da asporto: volgare, quindi si può ordinare, il che è un grande sollievo perché mi piace un sacco. Hamburger e patate da asporto (o peggio, patatine fritte) = grezzo. E un Burger King è più grezzo di un McDonald's.

Lo so: non è facile orientarsi.

"Eruttazione" è la parola usata dalla nonna per dire rutto. Lo considera volgare e *allo stesso tempo* terribilmente grezzo, quindi chissà come reagirebbe davanti a quello che sto per raccontarvi. Se siete come la nonna – terrorizzati dai rutti – fareste meglio a saltare il prossimo capitolo.

Capitolo dieci

Domenica mattina. Il giorno del lettino solare.

La nonna è uscita per andare in chiesa. A volte vado con lei, ma oggi le ho detto che avevo mal di stomaco (peraltro è la verità) e non mi è parsa dispiaciuta. Anzi, sembrava che non vedesse l'ora di uscire e di lasciarmi a casa da sola con Lady.

Sarebbe mancata quasi tutto il giorno. Questa è stata una grossa rivoluzione a casa nostra. Circa un anno fa, la nonna ha deciso che poteva lasciarmi da sola, a volte persino la sera. All'inizio ero nervosa, ma alla fine ci ho preso gusto.

Dopo la chiesa sarebbe andata dritta al caffè mattutino organizzato dal gruppo di studio sulla Bibbia e poi avrebbe pranzato con la maestra Abercrombie; a seguire ci sarebbe stata la riunione plenaria annuale di una delle sue tante cause. A volte mi chiedo dove la trovi, tutta questa energia.

Mi ero tracannata una bella dose di *Decotto "Pelle Liscia" del dottor Chang* e probabilmente avevo esagerato, il che spiegava lo stomaco un po' sottosopra. La bevanda – una polvere da diluire in acqua per preparare una specie di tè freddo – puzza di funghi e ha lo stesso sapore che immagino abbiano i vermi. È davvero orribile, ma il dottor Xi Chang ("un noto esperto di medicina tradizionale erboristica cinese", si legge sul sito) ne sostiene l'efficacia contro le forme più severe di acne, e per dimostrarlo ha pubblicato alcune convincenti fotografie del "prima e dopo il trattamento".

Il risultato è che stamattina mi sono alzata con la pancia gonfia. Dico davvero: era tesa come un palloncino e quando le ho dato un colpetto con il dito medio si è sentito un rumore simile al *tam-tam* di un tamburo.

Per quanto sia imbarazzante, sono costretta a raccontarlo, quindi "perdonate l'indelicatezza", come direbbe la nonna. Potrei scegliere un sacco di parole per girarci attorno: parole come "eruttare" o "espellere gas" ma nessuno parla così, eccetto gli adulti o gli insegnanti o i dottori, quindi abbiate pazienza. Subito dopo essermi svegliata ho fatto un rutto davvero enorme: se qualcuno avesse sentito la puzza, senza conoscere tutta la storia, avrebbe detto che si trattava della carogna di un animale. Una moffetta probabilmente, anche se non ho mai sentito l'odore di una moffetta, visto che in Gran Bretagna non ci sono. So solo che puzzano.

La cosa più strana è che il rutto non sapeva di nulla (grazie al cielo).

Lo so, lo so, piace a tutti fare battute sui gas corporei. (A tutti eccetto la nonna, ovviamente: è ancora necessario dirlo? Immagino di no. Da qui in avanti, diamolo per scontato, che ne pensate? Ve lo farò notare solo quando è significativo.) Comunque, sono battute che quasi tutti troviamo esilaranti.

Ma non è questo il caso.

Puzzava tanto che era quasi... spaventoso, ecco. Di sicuro era peggio di qualunque... ehm, scoreggia che mi sia mai capitato di sentire, compresa quella di Cory Muscroft durante l'assemblea in quinta elementare, e vi giuro che se la ricordano ancora tutti. Se avessi saputo cosa sarebbe successo dopo, lo avrei preso come un avvertimento. Ma è difficile capire queste cose in anticipo.

Comunque, dopo un paio di altri rutti più leggeri, la pancia si era decisamente sgonfiata e io sono entrata nel garage, con il suo odore di polvere e vecchi tappeti. Tremavo un po' sul pavimento di cemento, perché indossavo solo la biancheria intima ed ero a piedi nudi, e ho pensato: *Certo che farsi una lampada in negozio è tutta un'altra cosa,* così sono tornata in casa per recuperare il telefono.

Su Spotify ho trovato qualche brano di elettronica degli anni Novanta, lento e ipnotico, simile alla musica che mettono in sottofondo nei centri estetici, e ho infilato gli auricolari. Mi sono spogliata e sono entrata nel lettino con le sue lampade uv, che brillavano di un bianco violaceo. Ho programmato dieci minuti sul timer – meglio andare per gradi – poi ho abbassato il coperchio, facendolo scendere a pochi centimetri dal mio naso.

Avevo gli occhi chiusi, la musica che mi batteva piano nelle orecchie il suo *dum-dum-dum*, le lampade uv erano calde e non ho fatto nulla per resistere al sonno, anche perché ero convinta che il timer mi avrebbe svegliata.

Più tardi, però, a svegliarmi sono stati l'intensa luce ultravioletta che filtrava oltre le palpebre invisibili e Lady che spingeva la ciotola del cibo.

È da qui che siamo partiti... ricordate?

Capitolo undici

«Nonna? Riesci a sentirmi? Sono *invisibile*.»

Mi trovo ancora in garage, sono al telefono, seduta sul bordo del lettino solare, e capisco subito che avevo ragione. Prima di comporre il numero della nonna, mi ero chiesta se non fosse ridicolo chiamare qualcuno per dirgli che sono diventata invisibile.

Certo che lo è. Eccome.

Però insisto.

«Sono diventata invisibile, nonna.» Poi riprendo a singhiozzare.

Lunga pausa.

Una pausa. Davvero. Lunga.

Sento il brusio di una conversazione in sottofondo.

«Non sono sicura di aver capito bene, tesoro. Non è il momento migliore per parlare, ma ti sento agitata. Cosa c'è che non va, tesoro?»

Faccio un profondo respiro. «Sono invisibile. Sono scomparsa. Ero sul lettino solare, mi sono addormentata e quando mi sono svegliata non c'ero più.»

«Va bene, tesoro. Molto divertente. Il problema è che

non è il momento. La signora Abercrombie sta per leggere il verbale dell'ultimo incontro, quindi devo proprio andare. C'è del prosciutto in frigorifero e bisogna portare fuori Lady. Ora ti lascio. Ci vediamo dopo.»

Clic.

Trattengo i singhiozzi, indosso in fretta mutande, reggiseno, jeans e maglietta. Osservo ipnotizzata, senza fiatare, i vestiti che si riempiono del mio corpo invisibile. Non so perché, ma un'azione banale come questa riesce a calmarmi (solo in parte, però; dentro mi sento ancora ribollire, come un pentolino di latte che fa la schiuma) e adesso respiro meglio; quantomeno smetto di piangere.

Mentre vado in cucina scorgo me stessa nel lungo specchio del corridoio. Ho detto "me stessa". Quello che vedo, in realtà, sono un paio di jeans e la mia maglietta rossa preferita che camminano da soli. Avrebbe potuto essere divertente – in fondo è come guardare un effetto speciale dal vivo – se non fosse che dentro i vestiti ci sono io, così prendo fiato di nuovo e deglutisco per non scoppiare un'altra volta in lacrime.

Quando entro in cucina, Lady solleva la testa dalla cuccia. Si avvicina lentamente al punto in cui mi trovo e mi annusa i piedi, o il pavimento dove dovrebbero esserci i piedi. Mi chino e la accarezzo.

«Ciao, bella» dico senza pensarci, e lei alza lo sguardo.

Non sono sicura che si possa decifrare l'espressione sul muso di un cane, ma giuro che Lady sembra spaventata e confusa. Mi accuccio per rassicurarla, ma a quanto pare ottengo l'effetto contrario. Le faccio il solletico vicino alle orecchie, perché so che le piace, ma invece di leccarmi e farmi ridere, come sua abitudine, s'infila la coda tra le zampe e, con un piccolo guaito, esce di corsa dalla porta della cucina nel giardino dietro casa. Resto lì a fissare la porta che si chiude sbattendo alle spalle di Lady e sento gli angoli della mia bocca curvarsi verso il basso.

Riprovo a chiamare la nonna.

Scatta la segreteria telefonica.

Non lascio messaggi.

Dentro di me, mentre rifletto sul da farsi, c'è un monologo incessante. Non ho ancora del tutto abbandonato l'idea che si tratti di un sogno. E se fosse uno stato onirico molto persistente, impossibile da interrompere con i classici metodi di controllo sonno-veglia? Continuo a pizzicarmi, a scuotere la testa: non tralascio nulla.

Però non funziona, naturalmente, così decido di spingermi oltre. In piedi al centro della cucina, mi do uno schiaffo sulla guancia. La prima volta piano, la seconda volta forte, la terza ancora più forte e alla fine – per darci un taglio – mi mollo una potente sberla sulla guancia sinistra con il palmo destro, tanto sonora quanto dolorosa, e sento le lacrime che mi pizzicano gli occhi.

Provo a stilare una lista.

Quello che so:

1. Sono da sola, e sono invisibile.
2. Ormai è chiaro, senza ombra di dubbio, che non sto sognando. (Pizzicotti, schiaffi, ahi! Tutto da capo.)

3. La nonna non risponde al telefono: penserà che è uno scherzo o magari ha attivato la modalità silenziosa perché il cellulare non squilli durante la presentazione della signora Abercrombie.
4. Potrei raggiungerla. (Ma dov'è? Non lo so per certo. Forse nel salone della chiesa. Quindi a Culvercot, ma poi cosa faccio? Entro nel salone e annuncio a tutti che sono invisibile? Direi di no.)
5. C'è un amico di cui posso fidarmi? Un tempo sarebbe stata Kirsten Olen, ma ora? No: ormai di lei non mi fido abbastanza.
6. Ho così tanta sete che mi fa male la gola.

Parto dal problema più facile da risolvere. E che oltretutto mi dà qualcos'altro a cui pensare.

Mi preparo una tazza di tè. La nonna dice che è il giusto rimedio per qualsiasi cosa. Una volta mi ha spiegato che anche solo preparare il tè – aspettare che l'acqua cominci a bollire, tirare fuori le tazzine e tutto il resto – riesce a distendere i nervi almeno quanto bere l'infuso stesso.

Poi squilla il telefono.

È la nonna. Evviva!

«Sono uscita dall'incontro, Ethel. Vedo che mi hai chiamato di nuovo. Cosa c'è adesso?» Il tono è sbrigativo, non vuole sentire stupidaggini, il che non promette bene.

«Te l'ho detto, nonna: sono diventata invisibile.»

E poi le spiattello tutto: l'acne, la presa in giro della

pizza, il lettino solare, il fatto che mi sono addormentata, il risveglio in un bagno di sudore un'ora e mezza dopo, lo specchio, e quando ho gridato in cerca di aiuto...

Ogni cosa che mi è successa fino a questo preciso istante in cui sono seduta a bere il tè, in cucina, e racconto tutto alla nonna.

Lo faccio in modo confuso, questo lo so, ma non del tutto assurdo.

Concludo così: «Ecco perché ti ho chiamato. Devi aiutarmi».

Per un lungo momento, la nonna non dice nulla.

Capitolo dodici

È così che me ne accorgo: la nonna non mi crede.

Perché dovrebbe? A pensarci, in effetti, è una storia folle. La nonna non mi crede perché non può vedermi, e se non può vedere che sono davvero invisibile, perché mai dovrebbe pensare che è vero?

È una pazzia. "Una vera insensatezza", per usare una delle sue espressioni preferite.

Resto in attesa. Le ho detto tutto. Le ho detto la verità da cima a fondo. Non mi resta che aspettare la sua reazione.

Risponde così:

«Ethel, mia cara. Crescere è difficile. Sei in un periodo complicato della tua vita...».

Oh, no, penso. *Non promette nulla di buono, però stiamo a sentire...*

«Capita a tutti, a un certo punto della vita, di sentirsi invisibili. Come se il mondo intero ci ignorasse. Alla tua età mi è capitato, Ethel. Facevo del mio meglio per inserirmi, ma a volte il mio meglio non era abbastanza...»

Di male in peggio. Perché cosa c'è di peggio di una

risposta empatica che manca totalmente il punto della questione?

Resto in silenzio, seduta ad ascoltare la tiritera della nonna sul "sentirsi invisibili", mentre guardo la mia tazzina da tè che si solleva magicamente fino alle labbra.

Abbasso lo sguardo e ho un sussulto, terrorizzata. Vedo il tè che ho appena bevuto, un piccolo grumo deforme, che fluttua fino al mio stomaco.

La nonna, sentendomi sussultare, si interrompe.

«Che c'è, tesoro?»

«Il mio... tè! Lo vedo!» Non faccio in tempo a dirlo che già capisco quanto può sembrare sciocco.

«Come hai detto, Ethel?»

«Oh, ehm, niente. Però, ecco, non ho capito l'ultima parte del discorso.»

«Ascolta, mi dispiace se ti senti così, ma ne parliamo più tardi, oggi pomeriggio, quando torno a casa. Ora c'è il resoconto del tesoriere e Arthur Tudgey è malato, quindi tocca a me. Devo rientrare.»

Ne ho abbastanza. Davvero.

«Insomma, nonna, non mi stai ascoltando. *Sono davvero sparita.* Non è una cosa immaginaria. Dico sul serio. Per davvero, non in senso metaforico. Il mio corpo non si vede. Il mio viso, i capelli, le mani, i piedi: sono proprio invisibili. Se tu potessi vedermi... be', non mi vedresti.»

Poi mi viene un'idea.

«FaceTime! Nonna, facciamo una videochiamata, così lo vedi con i tuoi occhi!»

Non sono nemmeno sicura che la nonna sappia usare FaceTime, ma in ogni caso sembro isterica.

Cerco di spiegarmi il meglio che posso, ma il risultato è tutto sbagliato, e il tono della sua voce passa da empatico e preoccupato a qualcosa di più duro e severo.

«Ethel. Adesso stai esagerando, tesoro. Ne parliamo più tardi. A dopo.»

Sono io che riattacco, questa volta.

Capitolo tredici

Pensate all'ultima volta che siete rimasti da soli. Lo eravate davvero?

C'era qualcuno di abbastanza vicino? Un genitore? Un insegnante? Un amico? In caso di emergenza, avreste saputo chi contattare per chiedere aiuto?

Va bene, a scuola non sono esattamente Miss Popolarità, ma gli altri non mi trovano nemmeno così orribile. Almeno credo.

«Non c'è proprio nulla di sbagliato nell'essere *silenziosi e riservati*» mi ha detto un giorno la nonna, leggendo la mia pagella (fino a quel momento non avevo mai pensato che potesse esserci qualcosa di sbagliato, né che qualcuno potesse pensarlo).

«Meglio tenere la bocca chiusa e passare per stupidi che aprirla e rimuovere ogni dubbio» ha aggiunto nel suo tipico stile.

La nonna è sempre stata – per usare un'espressione che lei adora – "una persona a modo".

Ama ripetere che una donna inglese istruita deve sapere come comportarsi in qualsiasi situazione.

Ve lo giuro, ha persino dei libri su questo argomento. Manuali con titoli altisonanti come *Le buone maniere nel ventesimo secolo*. Sono divertenti, di solito, però sono stati scritti quasi tutti quando la nonna era già nata, quindi non sono poi così vecchi. Dentro puoi trovarci domande tipo queste:

Come ci si rivolge a una duchessa divorziata?

Oppure:

Quanto si lascia di mancia per i domestici della casa di campagna di un amico dove si è stati ospiti?

Visto che non conoscete la nonna, a questo punto potrebbe sembrarvi una persona rigida e abbottonata: il modo in cui insiste perché si scrivano lettere di ringraziamento entro tre giorni, per esempio, o perché si chieda il permesso prima di dare del tu a un adulto. In realtà si tratta solo di essere educati con gli altri, e in questo c'è qualcosa di molto dolce; solo che la nonna la prende troppo seriamente, più di chiunque altro abbia mai conosciuto.

Una volta mi ha dato una lezione sulle strette di mano.

Sì, le strette di mano.

«Attenzione, merluzzo morto, Ethel, merluzzo morto!» La nonna descrive così una stretta troppo flaccida. «Devi stringere di più. Ehi, non così tanto! Sono qui, Ethel! Quassù: guardami negli occhi quando mi stringi la mano. Sei felice di vedermi? Be', fammelo capire con il tuo viso. E... che cosa si dice?»

«Ciao?»

«Ciao? *Ciao?* Dove accidenti credi di essere? In California? Se è la prima volta che incontri qualcuno devi dire: "Piacere di conoscerla". Ora fammi vedere: una stretta rapida e decisa, contatto oculare, sorriso e "Piacere di conoscerla".»

(Ci ho provato con il professor Parker, la prima volta che l'ho incontrato. Mi è parso colpito, ma anche un po', ecco, intimidito, come se fosse una novità che uno studente lo salutasse così, cosa che non escludo. Il professor Parker da quel giorno è sempre stato supergentile con me, un fatto che la nonna userebbe a sostegno delle sue teorie; secondo me è più probabile che mi trovi simpatica e basta.)

La nonna non è così vecchia, ma è antiquata, soprattutto nel modo di vestire. È orgogliosa di non aver mai posseduto un paio di jeans, nemmeno quando era molto più giovane e attraente. La sua avversione per i jeans non è una protesta contro il mondo moderno, però. La ragione per cui li odia, sostiene, è che indossati non stanno bene.

«Se li porti stretti, sono indecenti; se li porti larghi sembri subito uno di quei "rapper" delinquenti.»

Ci credete che quando la nonna usa la parola "rapper" sembra che si stia esercitando in una lingua straniera? Riesci quasi a sentire le virgolette alte attorno alla parola.

Essere in grado di parlare con chiunque, di qualsiasi estrazione sociale, è una grande dote, ma se anche padroneggiassi questa abilità adesso non sarebbe d'aiuto.

Non c'è nessuno con cui confidarmi su questa faccenda dell'invisibilità.

La nonna? Tentativo fallito.

Potrei andare su Instagram e dirlo a Flora McStay, la mia amica che si è trasferita a Singapore:

Ehi! Indovina un po'! Oggi sono diventata invisibile! Mi vedi nella fotografia accanto all'albero.

Molto divertente.

Sono completamente sola. Non è una bella sensazione.

VOI che cosa fareste? Non è una domanda trabocchetto, lo giuro.

Che cosa fareste?

In quanto a me, decido che devo andare in ospedale, e in fretta. Quindi mi serve un'ambulanza. Dopotutto, questa è un'emergenza.

Chiamo il 999.

Capitolo quattordici

«Servizio emergenze, mi dica.»

«Ambulanza, per favore» rispondo con voce tremante. Non ho mai fatto prima d'ora una chiamata al 999. È piuttosto snervante, se posso dirlo.

«Inoltro la chiamata.»

Resto in attesa.

«Ambulanze del North Tyneside. Posso avere il suo nome e numero di telefono, per favore?»

È la voce di una donna giovane, l'accento è di queste parti. Sembra gentile, e mi rilasso un po'.

«Mi chiamo Ethel Leatherhead. 07877 654 344.»

«Grazie. Di che emergenza si tratta?»

Dopo la telefonata con la nonna, dovrei aver imparato la lezione. È sembrato tutto così ridicolo, quando l'ho raccontato. Il fatto di spiegare che sono diventata invisibile a un'operatrice del 999 non lo renderà meno assurdo.

«Ecco... non posso dirlo. Mi serve soltanto un'ambulanza. È urgente.»

«Mi dispiace, ehm... Ethel, giusto? Devo sapere di che emergenza si tratta prima di inviare un'ambulanza.»

«Non posso dirlo. Però è... davvero urgente, capisce? Sono in serio pericolo.»

L'operatrice mantiene lo stesso tono di prima. Sta cercando di essere gentile.

«Ascolta, piccola, come faccio ad aiutarti se non mi spieghi qual è il problema? Mi stai chiamando da casa?»

«Sì.»

«E sei ferita?»

«Be', non proprio *ferita*, è solo che...»

«Va bene, gioia. Calmati. Ti fa male qualcosa?»

«No.»

«Tu o qualcun altro siete in immediato pericolo? Rischiate qualcosa, o di farvi male?»

Faccio un piccolo sospiro. «No. È solo che...»

«C'è qualcun altro lì con te? Ti hanno aggredito?»

«No.» So già cosa verrà dopo.

«Allora c'è un altro numero da chiamare per tutte le emergenze non strettamente mediche, Ethel. Hai una penna, amore?»

Sono vicina alle lacrime ormai, ma se ragionassi in modo lineare capirei che spiattellare tutto come sto per fare avrà delle conseguenze, però, ecco, non sono nel pieno possesso delle mie facoltà.

«Sono diventata invisibile, e ho molta paura: *mi serve subito un'ambulanza!*»

A questo punto il tono dell'operatrice cambia, passando da rassicurante-gentile a teso-estenuato.

«Sei diventata invisibile? Capisco. Ascolta, piccola, ne ho abbastanza. Sai che queste telefonate sono registrate e che possiamo rintracciarti? Adesso archivio tutto come chiamata indesiderata, e se ci riprovi avviso la polizia. Ora metti giù e libera la linea per le vere emergenze. Invisibile? Voi ragazzi siete incredibili. Ci farete uscire di testa!»

E con questo la telefonata s'interrompe, cancellando ogni speranza di risolvere facilmente il mio problema.

Capitolo quindici

Passano due ore, e sono ancora invisibile.

Ho fatto una lunga doccia calda, presa dal dubbio che l'invisibilità si potesse lavare via come una specie di patina. Ho strofinato e strofinato tanto che alla fine ero tutta dolorante, ma il sapone continuava a scivolare su quello che sembrava il nulla, e quando mi sono risciacquata c'era ancora il nulla, nient'altro che impronte umide sul pavimento del bagno.

Da allora sto vagando per casa, chiedendomi cosa fare e come affrontare la situazione, ma senza alcun progresso.

Ho esaurito le lacrime. Non mi porteranno da nessuna parte, e poi sono stanca. Non mi vergogno ad ammettere, però, che sono completamente, totalmente, al cento per cento

TERRORIZZATA.

Terrorizzata al quadrato. Al cubo.

Più o meno ogni cinque minuti mi alzo e controllo il mio riflesso nello specchio.

Poi torno a sedermi davanti al portatile e cerco di nuovo in internet argomenti che contengano le parole "invisibile" e "invisibilità".

La maggior parte delle cose che provo a leggere è straordinariamente complicata, perché mescola matematica, fisica, chimica e biologia andando ben oltre gli argomenti che studio a scuola. Sembra che tutti stiano cercando da molti anni di ottenere quello che è capitato a me.

Su YouTube c'è un video di James Bond con una macchina invisibile.

«Mimetizzazione adattativa» dice Q, girando attorno alla Aston Martin di Bond. «Microcamere su ogni lato proiettano l'immagine che catturano sul lato opposto su una pellicola polimeri a emissione di luce. A un occhio distratto l'auto appare invisibile.»

Subito dopo preme un pulsante sul telecomando e la macchina scompare.

Sapete una cosa? Fino a oggi avrei detto che era soltanto una sciocchezza. Non a caso fa parte della playlist *La top ten delle scene più assurde dei film di 007.*

Ma ora?

Non ne sono più così sicura.

Se può capitare a me, perché non a una macchina?

Quello che sono riuscita a capire è che ci sono due modi per ottenere l'invisibilità.

Siete pronti?

Cerco di spiegarlo in modo semplice.

Prima dovete capire come funziona la vista. Gli oggetti sono visibili perché i raggi di luce rimbalzano sulla loro superficie e ci entrano negli occhi. Se davanti a voi c'è un albero, la luce colpisce l'albero, viene riflessa dentro i vostri occhi e, dopo un'elaborazione parecchio ingegnosa e quasi istantanea a opera del cervello, ecco che vedete un albero.

Quindi il primo modo per rendere un oggetto invisibile è coprirlo con un dispositivo di mascheramento. Questo fa sì che la luce compia una *deviazione* attorno all'albero e prosegua per la sua strada, come quando si mette un dito sotto l'acqua del rubinetto: il getto scorre attorno al dito e si riforma appena sotto.

Molti scienziati affermano di essere vicini a sviluppare dei dispositivi di mascheramento, soprattutto per scopi militari. Immagino che vogliano rendere invisibili i carri armati oppure le navi, gli aeroplani, persino i soldati, il che in effetti sarebbe piuttosto incredibile.

Mi seguite?

Il secondo modo è far passare la luce *attraverso* l'oggetto. È quello che fa il vetro, e se siete mai andati a sbattere contro una porta a vetri, come una volta ho fatto io al centro commerciale, allora saprete che funziona molto bene.

Se lo guardate, il vetro in effetti è invisibile.

Funzionano così anche i raggi X. I raggi X sono un particolare tipo di luce, che passa attraverso alcune sostanze ma non altre. Oltrepassano la pelle ma non le ossa e così i medici possono guardarti dentro.

La mia invisibilità rientra quasi di sicuro nella seconda categoria. La luce mi attraversa e così, anche se sono ancora qui, sembra che io non ci sia.

Non che saperlo mi sia di grande aiuto.

Rivedo tutto nella mente: quando mi sono stesa sul lettino solare, ho impostato il timer, mi sono addormentata e poi risvegliata al suono di Lady che spingeva la sua ciotola, e...

Lady. Dov'è finita?

L'ultima volta che l'ho vista stava uscendo di corsa dalla porta sul retro. Mi affaccio sulla soglia, mi guardo attorno e la chiamo, provo a fischiare e la chiamo di nuovo.

Voglio dire: non avevo già abbastanza di cui preoccuparmi senza il bisogno di aggiungere un cane scomparso?

Penso alla valanga di avvisi per cani smarriti che ho visto di recente affissi ai pali dei lampioni, e mi sento male. In città ne parlano tutti.

Di solito se ne vedono un paio nell'intero anno, di quegli avvisi: cane smarrito, gatto smarrito, avete presente? Quel genere di cartello.

Ultimamente, però, ce n'è uno nuovo ogni mese. La nonna me lo ha fatto notare l'altro giorno, raccomandandomi di tenere d'occhio Lady quando usciamo per la passeggiata.

«Non si sa mai, Ethel» ha detto. «In giro c'è gente strana.»

E se qualcuno avesse preso Lady? Lady è un cane socievole, seguirebbe chiunque.

Devo trovarla, e per farlo sono costretta a uscire di casa: probabilmente devo dirigermi verso la spiaggia, perché è lì che andrei se fossi un cane.

È un rischio. Un grosso rischio, a dire il vero, ma a volte l'unica alternativa a un rischio è non fare nulla, e questo ora non posso permettermelo.

Uscirò di casa mentre sono invisibile.

Capitolo sedici

Aggiungo qualche altro indumento a quelli che già ho addosso. Calze e scarpe da ginnastica, un maglione dolcevita per coprire la gola invisibile, una felpa a maniche lunghe, e già così sembro un po' meno strana, come uno di quei manichini senza testa dei negozi; sempre che un manichino senza testa possa rientrare nella categoria del "meno strano".

Dal mio ultimo cassetto recupero un paio di guanti, il che lascia fuori solo la testa.

In garage c'è una cesta di plastica piena di vecchi travestimenti. Dentro trovo una parrucca glitterata che avevo usato per un saggio di teatro a scuola e una maschera di plastica da pagliaccio. Odio i pagliacci, ma devo dire che fa il suo lavoro. Con il cappuccio della felpa sollevato sembro... che cosa?

Sembro una ragazza strana che ha deciso di andare in giro con una maschera da pagliaccio. Insolito, questo senz'altro, ma non del tutto folle.

Sono quasi alla porta, così travestita, quando sento il suono di un messaggio in arrivo sul cellulare.

Da: Numero Sconosciuto
Ciao Ethel, è un buon momento per passare da te a lavorare sul mio fisico da spiaggia? Non ti starò tra i piedi. Sono lì in due minuti. Elliot

Ed ecco che in un singolo messaggio avete la dimostrazione di perché Elliot Boyd dia sui nervi a tutti. Invadente, presuntuoso, sfacciato e una dozzina di altre parole che stanno per "scocciatura" mi sfilano in testa mentre le dita digitano la risposta.

NO. Non è un buon momento. Sto per uscire. Riprova più tardi. Ethel

Perché, perché, perché invece di "sto per uscire" non ho scritto "sono uscita"? Se l'avessi fatto, potrei fingere di non esserci in caso suonasse il campanello.

Caso che si verifica... pochi secondi dopo l'invio del messaggio.

Sono nell'ingresso e scorgo la sagoma oltre il vetro smerigliato della porta, riesco persino a sentire il telefono di Elliot che riceve il mio messaggio, e poi vedo che lui infila le dita nella cassetta della posta e mi chiama dallo spiraglio.

«Alla grande, Eff! Meno male che ti ho beccato! Apri la porta, eh?»

Ho forse altra scelta?

Apro la porta.

Capitolo diciassette

Sussultiamo entrambi quando vediamo che cosa indossa l'altro.

«Wow!» dice lui. «Non mi avevi detto di venire in maschera. Come ti sei conciata?»

«Potrei chiederti lo stesso» rispondo.

Sarò anche vestita in modo assurdo, con la parrucca glitterata, la maschera e i guanti... ma Boyd? Sembra pronto a partire per le spiagge della Florida: pantaloncini ampi, camicia hawaiana con una fantasia di squali, un paio di occhiali da sole (che oggi non servono a nulla) e un cappellino da baseball sulla chioma ribelle. Dalla borsa da spiaggia vedo spuntare un telo da mare e svariate lozioni solari.

Restiamo a fissarci sulla soglia per parecchi secondi.

Se non mi sentissi così scombussolata da quello che sta succedendo dentro i miei vestiti, direi qualcosa di brillante come: "Mi dispiace ma non accetto consigli di stile da uno che è stato cacciato da Disneyland per crimini contro la moda". Però non lo faccio.

Invece rispondo: «È una cosa sponsorizzata, per raccogliere fondi. Devo vestirmi così un'intera giornata per, ehm...».

Presto, Ethel. Serve un'idea. Sta aspettando che tu finisca la frase.

«... per il tuo progetto del faro.»

Perché? Perché proprio quello? È come se avessi un'altra persona dentro la testa, che mi grida: "Che cosa ti è saltato in mente, zucca vuota che non sei altro? Ora penserà che condividi l'ossessione del faro. Che idiota! Perché non hai tirato fuori la fame nel mondo o la ricerca contro il cancro? O qualsiasi altra cosa?".

A questo posso solo rispondere con un'altra voce-nella-testa: "Hai ragione! Mi dispiace! Ero distratta. Ho troppi pensieri, in questo momento, nel caso tu non l'abbia notato".

Boyd sta parlando.

«... Fantastico! Grazie! Travestimenti sponsorizzati? Che idea geniale! Tutto il giorno? È molto gentile da parte tua! Ho appena ricevuto il messaggio. Mi spiace, avrei dovuto controllare prima. Stavi uscendo, vero? Quando torni? Posso aspettarti qui, oppure... andarmene quando ho finito?»

No. Decisamente no. E così gli racconto di Lady.

«L'ho vista uscire nel cortile dietro casa» gli spiego. «Pensavo che dovesse solo fare la pipì.» Non è del tutto vero. In realtà ho pensato che Lady, terrorizzata dalla mia invisibilità, se la fosse data a gambe.

Nella staccionata del cortile c'è un varco da dove un cane può uscire senza fatica. Quando era solo una cucciola, una volta Lady lo ha usato per scappare e così avevamo previsto di ripararlo, ma alla fine non lo abbiamo mai fatto perché il tentativo di fuga non si è ripetuto.

Se non fosse che ora... quando la cerchiamo, non è più in giardino.

Ed è così che mi ritrovo in riva al mare con i guanti e un ridicolo costume da pagliaccio, insieme a Elliot Boyd nella sua tenuta da spiaggia che sembra uscita da un film comico, a chiamare Lady.

La passeggiata di Whitley Sands è la mia preferita, quando esco con lei, e la facciamo almeno un paio di volte alla settimana. Di solito le lancio la pallina in mare, Lady salta tra le onde per recuperarla e dopo si scrolla il pelo, inzuppandomi tutta, però non mi dà fastidio.

Con la maschera fa molto caldo. Controllo che Boyd sia qualche passo più avanti e la sollevo un po' per lasciare che la brezza marina mi rinfreschi il viso, poi grido per almeno la cinquantesima volta:

«La-dy!».

Sto cercando di sembrare tranquilla e felice. Avete mai perso un cane? È importante, comunque ci si senta, non usare mai un tono arrabbiato per chiamarlo. Quale cucciolo tornerebbe da un padrone arrabbiato?

Ci sono tanti cani qui attorno, ma non Lady.

Presto raggiungiamo la fine della spiaggia, e ci ritroviamo accanto alla strada rialzata che collega la terraferma all'isola dove incombe l'enorme faro bianco.

«Dài! Proviamo ad andare in cima?» grida Boyd.

Salire sul faro è l'ultima cosa che voglio.

«Dài» insiste. «C'è qualcosa che devo mostrarti, ora che sei entrata in squadra. Non ci vuole mica molto. In più da lassù puoi vedere tutta la spiaggia e magari riesci pure a trovare il tuo cane.»

Sulla strada rialzata, e poi sull'isola, ci siamo quasi soltanto noi. Durante le vacanze scolastiche arriva molta più gente, ma in questo momento il caffè è chiuso e di aperto ci sono solo il piccolo museo e il negozio di souvenir, dove si compra il biglietto per salire in cima al faro.

Alcuni gradini portano all'ingresso principale e un sentiero conduce sul retro, dove si è diretto Boyd. Ci sono due grossi bidoni della spazzatura ai lati di una porta arrugginita, che lui apre spingendola con le dita prima di invitarmi a entrare.

Una volta dentro, ci troviamo nella sala cavernosa alla base del faro. Ci sono un paio di visitatori che osservano la grande riproduzione in scala di una scialuppa di salvataggio, alcune fotografie appese alle pareti e l'eco dei nostri passi nella stanza. Una signora si volta e inarca le sopracciglia, poi fa un cenno al suo amico, che ci guarda a sua volta. Vestiti come siamo, immagino che un'occhiata curiosa sia quasi inevitabile, ma non accade altro.

«Presto» dice Boyd, tutto sorridente. È davvero su di giri. «Non l'ho ancora mostrato a nessuno!»

Lungo la parete circolare corre una scala stretta; saliamo fino alla sala della lanterna, aggrappandoci alla ringhiera arrugginita.

Trecentoventotto gradini più tardi (non li ho contati; me lo ha detto Boyd), sto ansimando come un cavallo da corsa. Lui invece no, nonostante pesi più di me. Forse è l'entusiasmo.

Dentro la sala circolare della lanterna sembra di stare in una grande serra, con le finestre che corrono lungo tutta la parete. Al centro dovete immaginare un gigantesco bicchiere rovesciato, alto circa un metro e mezzo, fatto di lenti di vetro disposte in un complesso sistema di anelli concentrici, con l'imboccatura a circa un metro da terra: ecco a voi la lanterna.

«Visto?» dice Boyd, indicando il congegno di vetro, con il volto illuminato d'interesse. «Si chiamano "lenti di Fresnel". Basta accendere una luce all'interno perché venga riflessa e moltiplicata: così non serve sprecare tanta energia perché il faro sia visibile a chilometri di distanza. Solo che ora non c'è nessuna luce. È così da tanti anni.»

Va bene. Devo ammettere che è abbastanza interessante, ma in realtà cerco solo di essere educata.

Boyd mi porta a una piccola botola nel pavimento.

«Butta un occhio alle scale, Eff. Nessuno in arrivo?» Solleva il coperchio. «Vieni a vedere, su!»

Obbediente, attraverso la stanza con poca convinzione, tra le vetrate delle finestre e le grandi lenti, e mi affaccio a guardare dentro la botola. C'è un cavo elettrico avvolto a spirale, lungo diversi metri, con una grossa lampadina a un'estremità, che ha la stessa forma e dimensione di una bottiglia di Coca da due litri.

«Ho portato qui tutto questo materiale un mese fa» mi racconta Boyd, sprizzando orgoglio da tutti i pori. «È la lampadina più luminosa che si possa comprare: mille watt. Quando sarò pronto, la dovrò inserire lì» e indica l'imboccatura del bicchiere di vetro capovolto. «Poi farò scendere il cavo dalla finestra fino a terra, dove lo collegherò, accenderò tutto e... *Light the Light*!» Si rimette a canticchiare la canzone.

Lo sto fissando attraverso i fori nella maschera.

È matto. A chi verrebbe in mente una cosa del genere? E perché?

Riesco a dire soltanto: «Capisco».

Boyd cambia espressione. «Pensi che sono matto, vero?»

«Ehm... no. È solo che è... un piano ambizioso, Elliot.»

«Non lo dirai a nessuno, vero? Dev'essere una specie di operazione segreta. Un evento a sorpresa da annunciare poco prima che avvenga. E poi *bum*! Le luci si accendono. Un flash mob con tanto di flash!»

Boyd si alza e richiude la botola.

È chiaro che la mia assenza di entusiasmo lo ha ferito.

«Non hai paura?» gli chiedo.

Mi guarda perplesso. «Paura? E di cosa? Commetto forse un crimine? Faccio del male a qualcuno? Potrebbero accusarmi solo di violazione di proprietà privata, ma non è nemmeno un crimine; non danneggerò nulla, e userò i soldi che hai raccolto vestendoti come un'idiota per ripagare le spese dell'elettricità, così non potranno accusarmi nemmeno di furto!»

Il suo sorriso contagia anche me.

«Sicuro?»

«Certo che sono sicuro. Mio padre è un avvocato.»

Questa è la prima volta che Boyd nomina suo padre in mia presenza. O sua madre, se è per questo. Non appena la parola gli esce di bocca, però, è come se volesse rimangiarsela. Cerca di cambiare argomento, ma glielo impedisco.

«Un avvocato? Forte. Di cosa si occupa?»

Ma lui non risponde. Invece la sua voce perde all'improvviso l'accento londinese, come se volesse rivolgersi alla corte di un tribunale.

«Molto bene. Allora. La violazione di proprietà privata, secondo il diritto consuetudinario – al contrario della legge ordinaria – è un'infrazione nota come "illecito civile", ovvero un atto illecito ma non soggetto a procedura penale, perciò...»

«Ok, ok, ti credo.»

«Prometti di non dirlo a nessuno?»

«Che cosa? Che tuo padre è un avvocato? È un segreto?»

«Ma no, stupida. Intendo la luce, il mio piano. Bisogna tenerlo nascosto finché non sarà il momento.»

«Prometto.»

«E poi, ehm, un'altra cosa... a Londra gli amici mi chiamavano Boydy.»

«Davvero?»

«Già. Quindi… se ti va…»

Le parole restano sospese tra noi, nell'aria afosa.

Boydy. Un amico?

Non avevo capito di essere disperata fino a questo punto.

QUALCHE APPUNTO SUI FARI
Di Elliot Boyd

Con un ringraziamento speciale a Ethel Leatherhead che mi ha concesso questo spazio per spiegare quanto siano meravigliosi i fari.
(Ho raccolto le informazioni qui riportate per un discorso tenuto a scuola durante l'orario del professor Parker. Lui ha detto che è piaciuto molto a tutti, il che mi ha fatto pensare che i fari non siano poi un argomento tanto strano.)

Gli esseri umani, da quando esistono le imbarcazioni, hanno sempre costruito i fari per segnalare alle navi gli affioramenti di roccia più pericolosi. All'inizio erano soltanto dei grandi falò sulle scogliere!
Ora nel mondo ce ne sono 17.000, di cui circa 300 in Gran Bretagna.
Il faro sull'isola di Pharos vicino ad Alessandria in Egitto era una delle meraviglie del mondo antico: fu costruito nel 270 a.C. e resistette per 1500 anni prima di crollare durante un terremoto. Nel 1994 ne hanno recuperati alcuni frammenti dal fondo dell'oceano!
La parola "faro", in molte lingue, deriva da *pharos*. *Phare* (francese), *farol* (portoghese), *far* (rumeno) e *fáros* (greco)!

La luminosità di un faro si esprime in candele, unità di misura che corrisponde all'intensità luminosa di una singola candela, per l'appunto. I fari moderni proiettano raggi con una luminosità compresa tra 10.000 e un milione di candele. Uno dei fari più luminosi al mondo è quello di Oak Island negli Stati Uniti: due milioni e mezzo di candele!!!

Nel 1822 un fisico di nome Augustin-Jean Fresnel sviluppò un sistema di lenti che moltiplicava la luminosità, rendendo la luce di una lampadina visibile anche da molto lontano. Quasi tutti i fari oggi utilizzano le lenti di Fresnel!

Molto tempo dopo l'invenzione dell'elettricità, gran parte dei fari ha continuato a essere alimentata a carburante. Il faro St Mary a Whitley Bay non si è convertito all'elettricità fino al 1977. È in disuso dal 1984, ma trovo che sia un vero peccato!

Il giudizio del professor Parker sulla relazione: 9/10. Un testo documentato ed esposto con chiarezza. Ben fatto. Qualche punto esclamativo di troppo.

Capitolo diciotto

Una delle finestre nella sala della lanterna è in realtà una piccola porta a vetri che conduce alla piattaforma esterna del faro. Un cartello dall'aria ufficiale segnala: "Pericolo: vietato l'ingresso".

«Dài» cerca di convincermi Elliot Boyd, anche se mi sforzo di pensare a lui come Boydy. «Devi vederlo.»

Lo seguo oltre la porta.

Dalla stretta piattaforma, con le mani avvinghiate alla ringhiera di ferro, fissiamo la costa a nord-est, e poi a sud verso un altro faro sulla foce del fiume Tyne, a circa tre chilometri. Un gabbiano distende le ali davanti a noi, e resta sospeso a fluttuare nel vento.

Boydy si è tolto il suo stupido cappellino da baseball, e la brezza gli spinge i capelli sulla fronte, facendolo sembrare quasi bello, tanto che sorrido dentro la maschera. Boyd? Bello? Ah ah!

Sto ancora morendo di caldo con questo doppio strato di vestiti, i guanti, il cappuccio, la maschera, e così decido di rischiare: abbasso il cappuccio della felpa, mostrando la parrucca glitterata.

Pessima mossa.

Il vento cambia, e la brezza si trasforma in una folata violenta che mi strappa via la parrucca. La catturo appena in tempo, prima che voli oltre la barriera di ferro. Sto armeggiando con il cappuccio, tentando disperatamente di rimetterlo sulla testa, quando Boydy si volta verso di me per dire qualcosa, e invece si mette a urlare:

«Che... ah... ah... aah! Che cosa? Oh mio Dio. Ohhh».

Bene. Immagino che fosse inevitabile: prima o poi qualcuno doveva scoprirlo.

Capitolo diciannove

Boydy indietreggia di qualche passo e mi osserva, battendo le palpebre, boccheggiando come un pesce, mentre dalla gola gli escono dei deboli lamenti.

Poveretto, è davvero terrorizzato. Il gabbiano si tuffa lontano, stridendo.

«Va tutto bene» cerco di rassicurarlo. «Sono sempre io. Sto bene.»

«Ma... ma... la tua... testa... Ethel?»

Da dove comincio?

Dopo dieci minuti penso di averlo convinto che non sono un fantasma e nemmeno un alieno che arriva dallo spazio cosmico. Ho risposto a tutte le sue domande, incluse le seguenti:

1. Sento dolore? (No, eccetto un leggero pizzicore che potrebbe dipendere dalla scottatura da lettino solare, ma non posso vedermi la pelle quindi non lo so.)
2. Lo sa qualcun altro? (No. Lui è il primo. L'idea lo lusinga tantissimo, o almeno credo.)

3. Sarò così per sempre? (Non ne ho idea.)
4. Che cosa ho intenzione di fare? (Ancora una volta: non ne ho idea. Il tentativo con l'ospedale non è andato come speravo, e Boydy è d'accordo con me: rivolgersi alla polizia sarebbe altrettanto improduttivo.)

Detto così, sembra che abbiamo avuto una conversazione sensata, come chiunque altro potrebbe averne sul balcone di un faro. Una cosa del genere: "Oh, quindi sei invisibile? Forte. Raccontami, dài: provi dolore o ti senti a disagio nella tua insolita condizione, Ethel?".

No, non è andata *affatto* così. Boydy era nervoso, confuso, inciampava nelle parole e continuava a cercare di toccarmi le mani e la testa. A un certo punto ho tolto la maschera e lui ha gridato per un minuto intero, a bocca spalancata e scuotendo la testa, poi ha distolto lo sguardo e si è voltato di nuovo a guardarmi, ripetendo tutto da capo.

Devo ammetterlo, però: ora che gliel'ho detto, provo un sollievo immenso. Mi sono tenuta dentro questo segreto per ore, ed è stato estenuante. In realtà non c'è niente che Boydy possa fare per me, ma anche solo il fatto di aver condiviso il mio problema con lui mi ha rasserenato.

Almeno un po'.

E allora perché scoppio a piangere? Mi dispiace, *ancora una volta* lacrime. Non sono una frignona, ve lo giuro. È una cosa che lascio agli animi sensibili, ma l'enormità di quello che sto affrontando, ne sono certa, farebbe piangere chiunque, e con questo siamo a due pianti in una giornata.

Povero Boydy, mi sente piangere e non sa cosa fare.

«Ehi, Eff. Andrà tutto bene» dice, e mi mette un braccio attorno al collo con aria goffa, ma è chiaro che non si sente a suo agio. Non deve essergli capitato spesso. Poi mi guarda. «Riesco a vederti le lacrime.» Mi indica le guance. «Una piccola parte di te è tornata visibile.»

Mi asciugo il viso con le mani e abbasso lo sguardo. In effetti mi luccica la punta delle dita. Mi sforzo di sorridere (e perché poi? Tanto nessuno può vedermi), rimetto la maschera e tiro su il cappuccio meglio che posso. Singhiozzo ancora una volta e faccio un debole sorriso.

«Come ti sembro?»

Boydy mi controlla da tutte le possibili angolazioni. «Se non ti si guarda troppo da vicino, va bene. C'è una fessura lì in alto, ma è in ombra e non si nota molto. Tieni la testa bassa.»

Annuisco e mi volto per tornare all'interno del faro, quando lui dice: «Senti, Eff, il travestimento da pagliaccio alla fine non era per... insomma, hai capito».

«Che cosa? La raccolta fondi? Ah, scusa, Boydy, no.» Vedo che cambia espressione e affloscia le spalle con un sospiro, così aggiungo: «Però mi piacciono i fari. O almeno questo, ecco. E sono sicura che anche gli altri fari sono bellissimi. Ti aiuterò con la campagna *Light the Light*. Promesso».

A questo sorride, ma poi si distrae, attratto da qualcosa che ha visto ai piedi del faro. Guarda oltre me, verso la spiaggia. Mi volto nella stessa direzione. Laggiù, alla fine della strada rialzata, c'è un Labrador nero e da come si muove capisco che è Lady.

Non è sola. Accanto a lei camminano due figure identiche.

Prevedo guai, e hanno le sembianze dei gemelli.

Non vi ho detto molto di loro, ma adesso è arrivato il momento; sempre che esista un momento giusto per parlare dei gemelli, ecco.

Jesmond e Jarrow Knight sono molto conosciuti a scuola, e sembrano godersi un sacco la loro sinistra notorietà: si muovono sempre sul filo della sospensione.

Almeno uno di loro ha sempre un richiamo scritto. Ora è il turno di Jesmond, il maschio. Ha insultato la professoressa Swan, che insegna Musica, quando lei gli ha fatto notare che puzzava di fumo. (Non ho intenzione di ripetere quello che ha detto Jesmond, ma immaginate la cosa peggiore che si possa dire a un'insegnante, e poi gridatela a pieni polmoni. Anzi, meglio di no. Ma è quello che ha fatto lui nell'atrio della scuola.)

Quando scadrà il richiamo scritto a fine trimestre, poco ma sicuro, toccherà a sua sorella Jarrow combinarne una delle sue. L'anno scorso si è fatta mandare a casa per aver dato fuoco ai capelli di Tara Lockhart con un becco di Bunsen, e suo padre è dovuto venire a scuola per incontrare la preside Khan e il dirigente dell'istituto scolastico.

Stanno quasi tutti alla larga dai gemelli, cosa abbastanza facile perché si notano a distanza. Hanno entrambi una folta chioma di capelli biondo platino, lunghi fino alle spalle. Visti da dietro sono quasi identici e anche visti da davanti si somigliano molto, solo che Jarrow indossa gli occhiali e Jesmond no.

Tommy Knight, il papà, è identico a loro, eccetto che sta diventando calvo. L'ho incontrato una volta sola, quando ha comprato qualcosa alla mia bancarella del mercatino di Natale scolastico. Sembrava timido e non ha quasi mai alzato lo sguardo. Ha comprato una scatola di saponi profumati, con fotografie di cani sulla confezione, e quando gli ho dato il resto mi ha ringraziato con una voce gentile e posata: tutto il contrario di quanto mi aspettavo.

Abitano in fondo alla nostra via, dietro l'angolo, in una casa che si affaccia su un'ampia striscia d'erba chiamata Links, che porta al lungomare e alla spiaggia. La casa dei Knight è una grande villa a due piani, dipinta di bianco, con un portico a colonne e un giardino rigoglioso. L'erba è tanto alta che un calciatore potrebbe esserci morto dentro senza che nessuno se ne sia accorto. Ci passo davanti quando vado a scuola.

Ecco chi sono i gemelli Knight, più o meno i miei vicini di casa, Jarrow e Jesmond; ora li vedo in fondo alla spiaggia, dove la sabbia lascia spazio alle rocce e alle pozze d'acqua.

Con loro c'è Lady, il mio cane.

Il che significa che dovrò scendere e affrontarli con una maschera da clown e una parrucca glitterata.

Mi dico: *Andrà tutto bene, Ethel.*

A volte penso che le bugie più grandi sono quelle che raccontiamo a noi stessi.

Capitolo venti

Quando torniamo dentro il faro, nella sala della lanterna ci sono altre tre persone e una di loro ci rivolge un'occhiata strana, quasi volesse dirci: "Perché eravate là fuori? È vietato uscire". O forse è per come siamo vestiti. In ogni caso ce ne andiamo subito giù per le scale.

Mentre percorriamo di nuovo la strada rialzata, vedo che la marea sta salendo in fretta, ha riempito le pozze fino a lambire l'asfalto. Abbiamo fatto bene ad andarcene. Gli orari della marea sono stampati su un avviso appeso alle due estremità della strada rialzata, eppure la gente si fa cogliere lo stesso impreparata e i bambini di Whitley Bay sono cresciuti ascoltando storie spaventose di gente che ha rischiato la traversata con l'alta marea ed è stata trascinata via dalla corrente.

Quando arriviamo in spiaggia, Lady corre saltellando verso di me, e sembra meno spaventata dalla mia maschera da pagliaccio che dalla *totale assenza di testa* del nostro ultimo incontro: chi può biasimarla? Non vedo ancora i gemelli, ma il mio campo visivo è ristretto per via della maschera; potrebbero essere vicini, appena dietro una roccia.

Ora non ho tempo di pensarci.

Lady annusa il terreno attorno ai miei piedi, si convince che sono io, e si rotola sulla schiena per chiedermi una grattatina sulla pancia, cosa che faccio volentieri, anche se con i guanti mi sembra strano.

«Lady, che sciocchina. Cosa ti è successo?» Sto cercando di rassicurarla, ma ho paura che si spaventi di nuovo.

Tento di prenderla per il collare, ma il collare non c'è. Così recupero il guinzaglio che mi sono portata, faccio un cappio all'estremità e glielo infilo dalla testa. Nel frattempo allungo lo sguardo oltre i fori della maschera da pagliaccio per capire dove sono i gemelli, nella speranza, ovviamente, che abbiano deciso di andarsene. E che Boydy sia qui vicino.

Non sono fortunata, né su un fronte né sull'altro.

Davanti a me ci sono i gemelli.

Jarrow, la ragazza, parla per prima, battendo con ostentazione le palpebre dietro le lenti degli occhiali.

«È tuo questo cane? Lo abbiamo trovato. Volevamo portarlo... Ma che diavolo?...»

Distolgo lo sguardo da Lady e vedo Jarrow che fissa la mia maschera da clown.

«Oh, ehm, è una cosa di beneficenza» spiego. «Mi sono vestita così per una raccolta fondi.»

«Aspetta. Conosco la tua voce» dice Jesmond, il gemello maschio. «Tu sei, ehm... mi sfugge il nome... stai in classe con noi, vero?»

Esito un istante prima di rispondere, e la pausa è lunga abbastanza perché intervenga Jarrow. «Ma certo, Jez! È Faccia da Pizza! Guarda un po' che maschera simpatica c'abbiamo oggi!»

I due ridacchiano. Parlano entrambi con un marcato accento Geordie. È l'accento del Nord-Est e di solito è una cantilena musicale, una parlata amichevole e divertente. Ma a volte capita, in alcune persone, che il Geordie diventi duro e aggressivo: è il caso dei gemelli, che sembrano parlare sempre con i denti stretti e le labbra tese.

Jarrow si volta e dice a suo fratello qualcosa che non sento, poi ridacchiano insieme.

Se fossi stata da sola, avrei voltato loro la schiena e mi sarei allontanata con Lady. È l'unica cosa che si può fare con gente così, in base alla mia esperienza. Ma c'è anche Boydy con noi.

«Tutto bene, Eff?» dice soltanto, ma è sufficiente per stuzzicare i gemelli.

«Ehi! Il nostro Grassone! Come stai, Fetor Boy?» domanda Jesmond.

Boydy ignora l'insulto come se non l'avesse sentito. «Tutto bene, grazie, Jes. Stavamo cercando il cane, nient'altro. E ora lo abbiamo trovato.»

«Eh già. Grazie a noi. Siamo stati *noi* a trovarlo. Lo stavamo accompagnando a casa, vero, Jarrow?»

Lo interrompo. «Dov'è il collare?»

Jarrow mi guarda dritto negli occhi, battendo le palpebre. «Non aveva il guinzaglio. Abbiamo pensato che fosse un randagio.»

«Non lo stavate accompagnando a casa?» le faccio notare. «Quale casa, di preciso? La mia è dall'altra parte!»

«Aspetta» dice Jarrow. «Stiamo davvero discutendo di questo cane con un maledetto clown di McDonald's? Togliti quell'accidente di maschera e facciamo quattro chiacchiere come si deve.» Tende la mano verso il mio viso, però mi sposto in tempo.

«No! È per... come dicevo, è per una causa benefica.»

«Be', siamo un'associazione di beneficenza anche noi, giusto, Jez?» Con un movimento rapido, Jarrow mi strappa il guinzaglio dalla mano e lo passa al fratello, che se lo avvolge attorno al pugno e annuisce.

Jarrow riprende a parlare con la sua voce stridula, sempre più minacciosa: «E poi, chi me lo dice che questo è il tuo cane? Forse è meglio portarlo alla polizia, potrebbe essere un randagio, e sai come li trattano i randagi, vero?».

Un punto a mio favore. Anche se spaventata e indifesa, riesco ancora a riconoscere una minaccia a vuoto quando la sento. In altre circostanze, sarei scoppiata a ridere.

«Fate pure» ribatto, e immagino di avere un tono almeno un po' presuntuoso. «Ha il microchip. Capiranno subito che l'avete rubato.»

E i gemelli Knight cosa fanno a questo punto? Cedono? Nemmeno per sogno.

«Microchip?» chiede Jarrow, chinandosi verso Lady. «Intendi la roba che sta qui sotto?» Appoggia la mano sulla nuca del cane, nel punto esatto in cui si impianta il dispositivo. «Appena sotto la pelle, o sbaglio? Direi che non è un grosso problema, tu che ne dici, Jez?»

Jesmond scuote la testa. «L'ultimo si è ripreso abbastanza in fretta.»

Fanno dietrofront e si allontanano, tirando Lady per il guinzaglio, mentre io resto lì a bocca aperta e con un nodo allo stomaco.

Ho capito bene? Non è possibile.

«Aspettate!» grido.

Si fermano e si voltano, con un sorrisetto sulle labbra.

Decido di fare appello al loro lato migliore, nel caso ne abbiano uno. «Ridateci il cane. Per favore.»

«La tua nonnina schiatterà di gioia nel rivederlo, giusto?» domanda Jesmond, e io annuisco.

Lui insiste: «E magari vorrà darci un bel premio. Hai presente gli annunci dei cani smarriti sui pali della luce, con scritto "offresi ricompensa"? Di solito sganciano almeno cinquanta sterline».

Jarrow fa un altro passo verso di noi. «Ce le date ora, eh? Così evitiamo il disturbo alla tua vecchia. Quanto c'avete? Vediamo un po'.»

Controvoglia, cerco di prendere la banconota da dieci sterline che ho nella tasca dei jeans: la nonna me ne fa tenere sempre una per le emergenze. Sarà questo il caso?

Problema: con i guanti non riesco a infilare le mani in tasca. Non subito, almeno. In circostanze normali, basterebbe togliere il guanto, ma non posso farlo senza rivelare la mia invisibilità. Così insisto, in modo maldestro (e immagino anche piuttosto strano). Afferro la banconota e poi tiro forte per estrarla.

La mano esce subito, ma si sfila il guanto, che resta intrappolato nella mia tasca striminzita.

Il braccio apparentemente privo di mano resta lì per qualche secondo prima che io riesca a nasconderlo. Visto da fuori, è come se mi fossi strappata l'arto.

Sento Jarrow che sussulta, e Jesmond che bisbiglia: «Ma che...?».

Ci metto un istante a rimediare, mi volto verso di loro e tendo la banconota ai gemelli con la mano di nuovo infilata nel guanto, perfettamente normale.

Jarrow afferra la banconota. Sta per andarsene, quando il fratello la ferma. Guarda ancora a bocca aperta la mia mano.

«Hai visto?... Ma era?...»

Non riesce a trovare le parole giuste per dire quello che pensa, e come biasimarlo? Immagino che in realtà volesse dire: "Hai visto che non c'era più la sua mano? Solo la manica. Il guanto era rimasto nella tasca, però senza mano". È troppo confuso per mettere insieme una frase.

Oltretutto, Jarrow sta parlando.

«Ehi, fermi tutti, ci siamo scordati del londinese. Tu non ce li hai, dei contanti?»

Boydy fino a questo momento se n'è rimasto tranquillo. Tranquillo? Diciamo in silenzio. Considerata la sua stazza, è strano vederlo così indifeso davanti a questi due.

«Zero.»

Quando torna in sé, Jesmond riprende il controllo di quella che sta diventando a tutti gli effetti una rapina, anche se non violenta.

«Zero di zero? Te ne vai in giro senza nemmeno i soldi per comprarti una fetta di torta? Non ti credo. Posso dare una controllata?»

Jesmond fa un passo avanti verso Boydy, minaccioso, e tanto basta. Boydy tira fuori dalla tasca cinque sterline e qualche spicciolo.

«Ci avrei scommesso» dice Jesmond. «Grazie a tutti e due per la ricompensa. Non ce n'era bisogno, davvero» aggiunge, fingendosi oltremodo gentile.

Poi getta a terra il guinzaglio di Lady, e i gemelli se ne vanno nella direzione da cui sono venuti, lungo la strada rialzata.

Però si comportano in modo strano, camminano tenendo le teste vicine e discutono con foga. Vedo Jesmond che agita la mano destra davanti agli occhi della sorella. Si sono allontanati di circa dieci metri, quando Jarrow si volta.

«Ehi, Faccia da Pizza! Se fossi in te, quella maschera non la toglierei più. È un grande passo avanti.»

Capitolo ventuno

Boydy è rosso in faccia dalla rabbia. Ha gli angoli della bocca rivolti all'ingiù – una curva perfetta di infelicità – e capisco subito che non è arrabbiato solo con i gemelli, ma anche con se stesso per non aver avuto il coraggio di affrontarli. Non gliene faccio una colpa, però cambia poco, perché se la prende così tanto che basta per entrambi.

Vorrei dirgli di lasciar perdere, ma vengo distratta da una sensazione nuova.

Inizia dalla punta delle dita, una specie di doloroso formicolio che si diffonde fino al cuoio capelluto. Quando Boydy e io abbiamo già percorso un lungo tratto di spiaggia, sento dei rivoli di sudore che mi scendono lungo la schiena, mentre la pelle sfrigola come un'aspirina effervescente.

«Aspetta, Boydy! Fermati» lo chiamo. «Mi sento strana.»

Ho lo stomaco sottosopra, cado in ginocchio, scossa da un conato, e poi vomito sulla sabbia.

«Stai bene, Eff?» mi chiede Boydy, anche se è una domanda un po' inutile: è ovvio che sto male. «Devo chiamare qualcuno?»

Ma ecco che la sensazione sparisce in un baleno, così com'è arrivata. Mi rimetto in piedi, sputando per liberarmi del sapore di vomito che sento in bocca. Mi sfilo i guanti perché voglio toccarmi la pelle d'oca sul viso.

Ed eccola lì.

La mia mano.

Tolgo l'altro guanto e guardo dentro la manica. Ci sono anche le braccia!

«Boydy! Boydy! Sono tornata! Guarda!»

Mi levo la maschera e la parrucca.

Lady mi salta addosso: immagino che sia sollevata di rivedermi.

Boydy si volta, mi fissa, e lentamente gli spunta un sorriso.

«Fantastico» dice, annuendo. «Così è tutto *decisamente* meno strano, Eff!»

Capitolo ventidue

Un'ora più tardi sono a casa con Lady e Boydy. La nonna è ancora fuori, ma tornerà tra poco. Boydy e io siamo in garage, a guardare il lettino solare.

Boydy scuote la testa. «Perché un lettino solare dovrebbe renderti invisibile? Li usano tutti, e sono piuttosto innocui. Che cos'ha di speciale questo?» Ci pensa per un momento. «E se lo chiedessimo alla ragazza del centro abbronzatura?»

«So già come andrebbe a finire» dico in tono sarcastico. «Oh, buongiorno. Ha presente il lettino solare che mi ha regalato? Be', mi ha fatto diventare invisibile. Senza contare che, se lo diciamo a lei, entro metà pomeriggio lo saprà tutta Whitley Bay e poi il mondo intero. Letteralmente. Prova a immaginare: finirà sui giornali, in televisione, in rete.»

«Sempre che non ti prenda per matta. Diventeresti famosa!»

«Esatto, Boydy. Esatto. Ma non voglio esserlo.»

«Davvero?» Sembra sinceramente sorpreso.

«Sì, davvero! Se mai diventerò famosa – e non capisco cosa ci sia di bello – voglio diventarlo per qualcosa che ho fatto, non per uno sfortunato incidente con un lettino solare o perché vengo inseguita dai paparazzi. La nonna non lo sopporterebbe. Mi sembra già di sentirla: "Che cosa grezza, Ethel".»

Ma Boydy non mi sta ascoltando. Ha arricciato il naso e annusa l'aria.

«Accidenti, Eff. Sei stata tu?»

Pensavo che il rutto fosse passato inosservato, ma è chiaro che mi sono sbagliata.

«Scusa. Colpa mia. È un rutto, però, non una... ecco, hai capito. Penso che sia un effetto collaterale.»

Boydy spalanca gli occhi e annusa di nuovo, sembra sul punto di soffocare. «Ma cos'è? È abominevole!»

«Dev'essere la mia medicina erboristica cinese. Forse ho esagerato con le dosi e mi ha scombussolato lo stomaco, quindi...»

«Aspetta. La tua medicina cinese? Dove l'hai presa?»

«L'ho ordinata online. È un trattamento per l'ac...» La voce mi muore in gola, mentre arriviamo insieme alla stessa conclusione.

Capitolo ventitré

Tornati in cucina, prendo la scatola del *Decotto "Pelle Liscia" del dottor Chang*. Sulla confezione c'è la fotografia di una modella sorridente, e sul retro il minuscolo ritratto di un tipo orientale con un camice bianco. Sulla scatola è scritto tutto in cinese, eccetto un adesivo dove si legge: "Cinque grammi in acqua ogni giorno".

Nient'altro.

«Lo hai pesato?» chiede Boydy.

Faccio spallucce. Sono imbarazzata.

«Più o meno.»

«Allora, cinque grammi di liquido sono circa un cucchiaino» dice.

«Ah. Pensavo un cucchiaio.»

«No, quello sono quindici grammi. Una volta al giorno?»

«A volte di più.» Sto farfugliando come un bambino sorpreso a rubare i biscotti, solo che invece di avere la bocca cosparsa di briciole colpevoli, sono arrossita di vergogna.

«Allora...» dice Boydy «... un forte sovradosaggio di chissà quale schifezza senza etichetta, non autorizzata e non identificabile combinato a un forte sovradosaggio di raggi uv di bassa qualità emessi da un lettino solare dismesso potrebbero averti reso invisibile?»

«Mmm, già» rispondo.

Sembra che sia andata così.

Boydy apre il mio portatile sul bancone della cucina.

«Su quale sito lo hai preso?» mi chiede, e glielo dico.

Scrive l'indirizzo nel browser.

Error 404. Pagina non trovata.

Prova di nuovo, perché magari è stato un errore di battitura, ma appare lo stesso messaggio.

Allora scrive "Decotto Pelle Liscia Dottor Chang" nel motore di ricerca. Escono solo tre risultati e portano tutti allo stesso messaggio: pagina non trovata.

Mi assale una paura fredda e orribile, ma proprio in quel momento sento la chiave che scatta nella serratura dell'ingresso; Lady si alza per andare a salutare la nonna.

Con un gesto fulmineo, Boydy sfila dalla scatola il sacchetto di carta con dentro la polvere del decotto e si mette in tasca la confezione.

«Dovrei riuscire a far tradurre le scritte» spiega appena prima che la nonna entri in cucina.

Nell'attimo stesso in cui vede Boydy, lei raddrizza le spalle e fa un bel sorriso.

Penso che sia sollevata di vedere che ho ancora degli amici. In questo periodo è difficile che venga a trovarmi qualcuno. L'ultima è stata Kirsten Olen, ma è passata un'eternità.

Faccio le presentazioni e Boydy non combina guai. Anzi, si alza, le stringe la mano guardandola negli occhi e sorride. Quasi avesse preso lezioni da lei.

«Ti fermi per il tè, Elliot?» domanda, sorridendo felice perché ho invitato a casa qualcuno che non mugugna e non si fissa le scarpe.

«Ah, no, grazie mille, signora Leatherhead. Devo andare. È stato un vero piacere.»

Wow, penso. *Conosce anche lui le buone maniere. Benvenuto nel club.*

Capitolo ventiquattro

La nonna sta preparando il tè e io cerco di comportarmi come se questo non fosse il giorno più strano di tutta la mia vita.

La radio è accesa. La nonna ascolta sempre Radio 3 o Classic FM. (Ogni tanto mi chiede se riconosco il compositore: quando c'è un organo rispondo sempre "Bach" e ci azzecco metà delle volte. Lei dimentica tutte le volte che sbaglio e perciò mi considera un'esperta di musica classica.)

Avete presente quando qualcuno cerca di essere gentile con voi, vi riempie di chiacchiere, ma a voi non interessa nulla? E non potete nemmeno dirlo, perché sarebbe scortese, e quindi siete costretti a fingere di seguire il discorso facendo i versi giusti al momento giusto? Tipo inarcare le sopracciglia dicendo "mmm" e "ho capito".

È quello che faccio proprio ora con la nonna.

Continua a blaterare di… Be', il punto è questo. Non sto ascoltando, perciò non lo so. Mi sembra che abbia nominato il reverendo Robinson e il suo sermone di stamattina, poi la signora Abercrombie e il comitato del banco alimentare, e qualcos'altro che riguarda un altro argomento ancora, e...

«Stai bene, Ethel?»

«Mmm? Sì, nonna, grazie. Tutto bene.»

«Ti ho appena raccontato di Geoffrey, della signora Abercrombie, e non hai detto una parola.»

Scopro così – perché la nonna me lo racconta di nuovo, e questa volta faccio in modo di stare attenta – che lo Yorkshire terrier della signora Abercrombie, Geoffrey, si è unito alla lista dei cani scomparsi.

Fingo di essere dispiaciuta, ma:

a) Sono troppo stanca per mostrare dispiacere.

b) Geoffrey, nonostante abbia solo tre zampe, è odioso e sembra aver sviluppato un pessimo carattere per compensare l'assenza dell'arto destro anteriore.

E...

c) ovviamente ho un solo pensiero in testa.

Vi ricordate quando ho detto che avevo chiuso con le lacrime?

Be', mi sbagliavo.

Tutte le emozioni che mi ribollono dentro cominciano a traboccare e dopo un istante eccomi lì a singhiozzare, seduta al tavolo di cucina. Sento le braccia della nonna che mi stringono, e lei non sa nemmeno quale sia il problema.

«Va tutto bene» mi sussurra, ma come fa a dirlo?

Ricambio l'abbraccio; il che mi fa sentire bene. Sento il suo respiro che profuma di tè e la sua pelle che sa di fiori e sapone.

In quel momento, in quell'abbraccio, tutto sembra andare a posto, e mi concedo per un istante di dimenticare che non è vero, non è tutto a posto. Ma gli abbracci hanno questo potere.

Mi dà la forza per un ultimo tentativo.

«Nonna?» comincio. «Sai quando stamattina ti ho detto che ero diventata invisibile?»

Spero che mi ascolti, voglio buttare fuori tutto quello che ho per la testa.

Niente da fare. La nonna avvicina la sedia e riprende ESATTAMENTE dal punto in cui si era interrotta: il mondo che ti ignora, la sensazione di dover urlare per farti sentire dagli altri, le persone che ti guardano attraverso, come se fossi invisibile.

E via così. Sta cercando di essere gentile, ma non è di alcun aiuto.

Ho la bocca piena delle parole che vorrei dire: "No, ascoltami. Ero DAVVERO invisibile".

Però le tengo dentro.

«Sono un po' stanca, nonna» dico. «Penso che andrò a letto.»

«Va bene, tesoro» risponde lei. «Ti porto una cioccolata calda.»

Vado di sopra, e mi controllo di nuovo nel grande specchio del bagno. Sembra tutto normale, non c'è più nulla di me che sia invisibile.

Anzi, trovo che i brufoli siano un po' migliorati. Davvero. Non me lo sto immaginando.

Mi sento molto sola, e questo mi fa pensare alla mamma.

È tanto che non apro la scatola di scarpe con i suoi ricordi. È sullo scaffale, accanto ai libri e ai peluche, così la prendo, la apro e dispongo gli oggetti davanti a me.

CHE COSA C'È NELLA SCATOLA
DEI RICORDI DELLA MAMMA

- La maglietta di cui vi ho già parlato. La annuso un paio di volte, e l'effetto è quasi magico: il profumo mi tranquillizza e mi fa sentire al sicuro. Me la sollevo davanti al viso e cerco di immaginare la mamma che riempie il tessuto nero. È una taglia quarantadue, secondo l'etichetta, quindi abbastanza piccola. (Distendo la maglietta in cima al mio letto.)
- Poi tocca al biglietto di auguri. (Leggo la filastrocca, anche se la so a memoria: cerco di immaginare la sua mano che tiene la penna mentre scrive quelle parole. Probabilmente ha uno smalto scuro, dita sottili e pallide.)
- Ci sono tre fermaporta a forma di gatto, tutti diversi. Ce n'è uno bianco e nero, uno a strisce e uno rosa. Dovrebbero essere quattro, in realtà, perché una volta ho visto il set completo in un negozio di giocattoli: manca quello azzurro. Ma ho solo questi tre e va bene lo stesso. Non ho mai dato dei nomi ai gatti, nel caso l'avesse già fatto la mamma, perché non volevo sceglierne di diversi. (Li dispongo in una fila ordinata sopra la maglietta.)
- Un pacchetto di caramelle Haribo. Un po' strano, suppongo, ma la nonna dice che la mamma anda-

va matta per le Haribo, e che tutti quelli che hanno partecipato al suo funerale ne hanno ricevuto un pacchetto. Non ho un vero ricordo di questa cosa, però mi piace l'idea che la gente mangiasse caramelle al suo funerale, anche se ovviamente non ho mangiato le mie, e infatti conservo ancora il pacchetto integro. (Lo appoggio accanto ai gatti.)

- Ultima cosa, il volantino del concerto di una certa Felina, in programma durante un festival al Quayside di Newcastle. Però la mamma non ha fatto in tempo ad andarci, è morta prima. Mi piace pensare che lo stesse aspettando come io aspetto il Natale.

Capitolo venticinque

L'ho già fatto tantissime volte, di svuotare la scatola di scarpe. Ripeto tutto nello stesso ordine ogni volta, e non divento mai triste.

Stavolta però succede: non me la aspettavo, e questo mi rende ancora più triste. Rimetto tutto nella scatola, in fretta, prima di ricominciare a piangere, e mi siedo sul letto ad ascoltare il mio respiro.

La storia della mia invisibilità potrebbe finire qui. Uno strano giorno che se ne va così come è arrivato, senza testimoni; solo un ragazzo che a scuola non è molto amato e che è noto per spararle grosse, quindi nessuno gli crederebbe mai.

Potevo chiuderla così. Sarebbe andato tutto liscio.

Ma non avrei mai scoperto chi sono davvero.

Seconda parte

Capitolo ventisei

Quando succede qualcosa, ho scoperto, succede piuttosto in fretta.

Questo qualcosa, però, non è proprio una "cosa".

Si tratta di Elliot Boyd. Be', Elliot Boyd e Kirsten Olen. E me.

Partiamo da Boydy. Ha deciso che siamo migliori amici e da giorni viene sempre a cercarmi, superamichevole, mi aspetta per mettersi in coda alla mensa e per tornare a casa; se ne sono accorti anche gli altri.

Non voglio essere cattiva con lui, però mi dà ancora sui nervi con tutte quelle chiacchiere ininterrotte e a senso unico, sempre a parlare di se stesso o di cose che interessano a *lui* e basta. L'unico argomento che accetta, escluso il faro, è la faccenda dell'invisibilità; e non possiamo parlarne con altre persone, quindi ci ritroviamo sempre da soli. Sono costretta a sopportarlo perché condividiamo un segreto, e anche perché si è portato via la confezione di *Decotto "Pelle Liscia" del dottor Chang*: non riesco a perdonarmi di averglielo lasciato fare.

Da qualche giorno, nel pomeriggio mi chiudo nei bagni in fondo al corridoio degli armadietti per controllare che Boydy se ne sia andato prima di tornare a casa. Ieri è rimasto lì per mezz'ora, con uno sguardo un po' triste sulla faccia tonda che mi ha quasi fatto cambiare idea.

È ora di pranzo, e i gemelli Knight non si vedono da nessuna parte. Ho visto che Kirsten Olen è in coda con Aramynta Fell e Katie Pelling, così le raggiungo per non essere sola quando Boydy farà la sua comparsa.

Sono tipe a posto. Non ho grossi problemi nemmeno con Kirsten Olen. Più che aver litigato, ci siamo allontanate.

È su Aramynta che ho qualche sospetto. Comincia tutto non appena ci sediamo (cosa che faccio evitando di avere posti liberi accanto a me: non si sa mai).

Il sorriso caloroso di Aramynta, che socchiude gli occhi con aria misteriosa, mi gela il sangue.

Oddio, non credo che finirà bene: lo capisco da quel sorriso. È troppo amichevole. Perché mi sono seduta qui?

«Io e quelle del mio giro abbiamo notato…»

Oh, per favore. Il "suo giro" sono lei e le ragazze sedute al tavolo; immagino che ormai faccia parte del gruppo anche Kirsten, il che mi infastidisce. Prese da sole non sono male. Un giorno Katie Pelling mi ha fatto copiare gli esercizi di Chimica, quando li avevo dimenticati, che è una cosa molto gentile. Quando sono insieme, però, diventano insopportabili. Sembra che la loro missione nella vita sia ignorare le regole della scuola sull'abbigliamento tutte le volte che possono – non sono ammessi trucco, gioielli e magliette corte – e così si cacciano sempre nei guai.

Ma dico io: che senso ha?

Aramynta prosegue: «Stavamo dicendo che la tua pelle, ecco, è davvero migliorata».

«Mmm... grazie?»

Katie Pelling comincia a ridere, sputacchiando sul tavolo. È il segnale che sono vittima di uno scherzo che ancora non capisco. Katie cerca di mascherare la risata con un colpo di tosse, ma ormai il danno è fatto.

"Vattene" mi direbbe la nonna. "Vattene e non abbassarti al loro livello."

Ottimo consiglio, ma se volessi sapere cosa stanno per dire?

«E poi ci chiediamo tutte: è ufficiale... tra te e il tuo ragazzo?»

Katie Pelling non riesce più a trattenersi, e comincia a sbuffare; una di quelle risate che ti fanno uscire il moccio dal naso, e che scatena ancora di più l'ilarità delle altre ragazze.

Aramynta è scocciata perché le hanno rovinato lo scherzo, vanificando i suoi sforzi di fingersi seria, eppure mantiene il suo sguardo di pura innocenza.

«Il mio ragazzo?» dico aggrottando le sopracciglia per sembrare il più possibile confusa, anche se so benissimo a chi si riferisce. «Non ce l'ho, il ragazzo, Aramynta. Lo sai benissimo.» *Ottimo*, mi dico: *Tono calmo, ma deciso.*

«Ma tu ed Elliot Boyd... state coooosì bene insieme! Non è vero? Kirsten! Non sono carini insieme? Elliot più Ethel uguale *Ethiot*!»

Kirsten annuisce, sforzandosi di mantenere un'espressione impassibile. «Certo che sono carini! Faccio il tifo per loro!» Mentre lo dice, il mio cuore sprofonda, perché in questo momento capisco che sto perdendo la mia più vecchia amica.

«È meglio se non abbassi la guardia, Ethel. Sono in tante a girargli attorno.»

«Non deve preoccuparsi» dice Katie Pelling. «Ce ne vuole di tempo, per girargli attorno!»

Altri sputacchi e risatine.

Ne ho abbastanza. Tutto quello che mi sono tenuta dentro per giorni mi sale alla testa, mentre sento che sto diventando paonazza per la rabbia.

«Quel... quel *ciccione* non è il mio ragazzo! Non è nemmeno mio amico. Non mi piace per niente. Non piace a nessuno! È una scocciatura e basta. Lo odio. Mi sta addosso come una puzza.»

L'ultimo commento è un colpo basso. Boydy sarà anche fastidioso, ma gli sono stata abbastanza vicino da sapere che non si merita il soprannome Fetor Boy. E forse ci ho messo troppa foga, nel dirlo: Aramynta e Kirsten, sedute di fronte a me, spalancano gli occhi.

Solo che non stanno guardando me, ma qualcosa appena oltre le mie spalle. Senza voltarmi, provo a sillabare: "Lui è qui?" rivolta a Kirsten, che annuisce in modo quasi impercettibile.

Prendo il vassoio e mi alzo. Vedo Boydy con la coda dell'occhio, il vassoio in mano, ed è abbastanza vicino da aver sentito le mie parole.

Non ho bisogno di avvicinarmi per sapere che ha l'aria triste e confusa, come davanti agli armadietti l'altro giorno.

Mi odio.

Capitolo ventisette

Ho un ricordo di quando ero molto piccola: il funerale della mamma.

La nonna dice che il funerale della mamma è stato piuttosto intimo, ma non è così nella mia memoria. Forse perché come a tutti mi piace pensare che i miei genitori siano molto importanti, e una cerimonia intima non sarebbe coerente, giusto?

Comunque, siamo in una grande chiesa ma, invece del suono di un organo, c'è della musica rock. Musica rock ad alto volume, e un sacco di persone, tutte che mangiano le Haribo.

(Non è un sogno; o almeno non credo. È proprio un ricordo, ma forse mescolato a qualcos'altro, perché di solito non c'è musica rock ai funerali, anche se le Haribo c'erano davvero, quindi chissà.)

La nonna è con me, e penso anche la bisnonna, in sedia a rotelle. La nonna è arrabbiata, però non ce l'ha con me.

Non è triste: solo arrabbiata. Il suo volto è freddo e duro, come il mare a Whitley Bay in un giorno d'inverno.

Questo è il ricordo. Strano, non trovate?

Non è molto, ma abbiate pazienza.

Ora, non voglio spaventarvi, ma sapete che quando si parla di ceneri di una persona morta, non sono davvero ceneri? Sono ossa polverizzate. Le ossa sono più o meno tutto quello che resta dopo la cremazione, che è quando bruci il corpo di una persona morta invece di seppellirlo, e poi ti restituiscono le ceneri perché tu possa seppellirle dove vuoi o disperderle in mare. È quello che ormai capita alla maggior parte delle persone, dice la nonna.

Perché ne parlo? So che è un po' spaventoso, ma ci arrivo subito. La ragione è questa: mia madre non ha una tomba.

Il fatto è che ho visto film e letto libri nei quali la gente muore, e dove i morti hanno sempre una tomba. I vivi – di solito un marito, una fidanzata o qualcosa del genere – fanno visita alla tomba, parlano con il morto, gli raccontano la loro vita. In genere lasciano dei fiori o toccano la lapide, una cosa dolce e triste che spesso mi fa piangere.

Ma io non posso farlo – non posso visitare una tomba –, perché la mamma è stata cremata.

Non so nemmeno che fine hanno fatto le sue ceneri, ora che ci penso. Devo chiedere alla nonna.

Perché vi sto raccontando tutto questo?

Forse voglio punirmi. Quello che è successo con Boydy mi ha sconvolta, e perciò merito di farmi del male pensando a lei.

Quasi tutti al mio posto cercherebbero di essere felici, mentre ricordano la propria mamma. Io no.

Eccetto forse mentre guardo dentro la scatola di scarpe con le sue cose.

(Ma anche allora, non sono esattamente *felice*.)

Una sensazione di tristezza e senso di colpa resta lì con me, ed è una delle ragioni per cui torno a essere invisibile.

Il che – per usare un eufemismo – è davvero poco saggio.

Capitolo ventotto

È passata più di una settimana, e non sono ancora tornata a trovare la bisnonna.

A essere onesti, comincio a pensare di essermi immaginata tutto. Ricordate? I segnali che mi aveva lanciato in segreto per chiedermi di tornare da sola. Perché avrebbe dovuto farlo? Ho rivisto quella scena molte volte nella mia testa, e in effetti è stato solo uno sguardo.

Ha cento anni. Forse non voleva dirmi nulla.

Ma il mio istinto dice di no. Il mio istinto dice che c'è *qualcosa*, qualcosa che la bisnonna vuole dirmi e che devo sapere.

Sulla strada di casa (da sola, ovvio), mi accorgo di un altro avviso sul Lampione dei Cani Dispersi. C'è una fotografia del cane e questo testo:

SMARRITO
Yorkshire terrier, privo di zampa anteriore.
Collare rosso
Risponde al nome di Geoffrey
Chiamare la signora Q. Abercrombie

07974 377 337
RICOMPENSA

A casa, il tè con la nonna è proprio strano.

È *molto* silenziosa. E questo, insieme al mio senso di colpa per aver ferito Boydy e a qualsiasi problema ci sia con la nonna, fa sì che sorseggiamo il nostro tè senza quasi fiatare.

Biscotti comprati in negozio. Questo *sì* che è strano. Non dico nulla.

Più tardi mando un messaggio a Boydy. Credo che sia la cosa più difficile che mi sia mai capitato di scrivere.

Ciao. Scusa per l'altro giorno. Non lo penso davvero. Amici?

Dieci parole. Mi chiedo se saranno abbastanza, ma il cellulare trilla subito in risposta.

Troppo tardi. Scordatelo. Ciccione? Pensavo che certe cose fossero off limits. A quanto pare non è così.

Quindi ha sentito tutto, incluso "ciccione". Non è come dire "palla di lardo", ma poco ci manca. Perché l'ho fatto?

Da quando ci conosciamo, Boydy non ha mai nominato i miei brufoli, né fatto commenti sul mio aspetto in generale, eccetto una volta in cui ha detto che avevo dei bei capelli; ma poi è arrossito, quindi forse voleva rimangiarsi tutto.

E nemmeno io ho mai fatto allusioni alla sua stazza. Ci sono cose che non vanno nominate, nemmeno quando perdi un po' il controllo. Il peso di Boydy, scopro ora, è una di queste. Il male che gli ho fatto emerge da ogni singola parola che ha scritto.

Una volta mi ha confidato che è sempre stato un po' grosso, e non l'ha mai sopportato. Suppongo di aver peggiorato la situazione.

Di sicuro la nonna direbbe che ferire i sentimenti degli altri merita un posto nella sua lista di cose "un po' grezze". Anzi, a pensarci bene è probabile che qualsiasi commento sull'aspetto fisico altrui rientri nella categoria del "terribilmente grezzo".

La professoressa Hall ha detto che avrebbe caricato il mio compito sul sito della scuola, ma non c'è, o comunque non lo trovo, e sto cliccando qua e là quando noto l'avviso di un talent show che si terrà domani a scuola, e tra i partecipanti c'è il nome di Boydy.

Non mi sorprende. Se mai esistesse qualcuno senza talento che partecipa a un talent show, sarebbe di sicuro Elliot Boyd, il ragazzo ultrasicuro di se stesso. Me lo aveva detto, in realtà, durante uno dei suoi monologhi all'uscita di scuola, ma l'informazione si è persa nel generale Brusio Boyd.

Studia chitarra da circa un mese. E basta guardare la lista dei concorrenti per capire che è spacciato.

- Un gruppo thrash metal della prima superiore chiamato Mother of Dragons, che si è già esibito durante l'assemblea: bravi e rumorosi.
- Savannah e Clem Roeber, che ballano il liscio su una musica contemporanea, come in televisione. Bravissimi anche loro.
- Nilesh Patel, che frequenta la seconda superiore e fa cabaret, quello vero, niente a che vedere con una sfilza di barzellette copiate da un libro.

Sono tutti bravi. Lo faranno a pezzi. Povero Boydy: suona da cani e lo fischieranno.

In realtà no, non sarà fischiato: lo vieta il regolamento. Lo guarderanno nel più completo silenzio, faranno qualche applauso poco convinto e lo prenderanno in giro per sempre.

A un tratto capisco che:

a) Non voglio che gli succeda. E...
b) se riesco a evitarlo, mi perdonerà per aver parlato male di lui con Aramynta Fell & Co.

È in questo momento che decido di tornare invisibile.

Per cercare di salvare Boydy. È il minimo che posso fare, dopo aver ferito i suoi sentimenti a quel modo.

È strano: l'idea prende forma dentro di me in un baleno. Sto fissando lo schermo del computer quando – *bum!* – tutto diventa chiaro. Il che, scopro, è rassicurante; dev'essere per forza un buon piano, se l'ho ideato così in fretta.

O forse no?

So cosa state pensando, però è meno strampalato di quanto sembri.

Un po' meno, dài.

L'idea è salire sul palco quando tocca a lui. Sarò invisibile, perché quel giorno farò in modo di stare a casa da scuola e trascorrerò la mattina nel lettino solare. Sussurrerò le indicazioni all'orecchio di Boydy e solleverò lo strumento dalle sue mani in modo da creare la più meravigliosa delle illusioni:

La chitarra volante!

So strimpellare qualche nota. Meglio di Boydy, in ogni caso, così mentre la chitarra è sospesa nel vuoto pizzicherò qualche corda, lui agiterà le mani come un mago e il suo numero sarà accolto da un applauso euforico, esultante e meraviglioso.

Suona bene, eh?

No. Ora che l'ho spiegato, suona proprio ridicolo: la fantasia di una mente confusa da un intruglio d'erbe e dalla sovraesposizione ai raggi uv.

Pensate quello che volete, ma ormai ho deciso. Sì, è un rischio. Però gli effetti collaterali della prima volta... be', si sono rivelati inesistenti. La mia pelle è migliorata. Riesco persino a convincermi di avere i capelli più luminosi, e cerco di scuoterli come farebbe Aramynta Fell, ma senza successo. Sembro più un cavallo infastidito dalle mosche.

Una decisione, comunque, è presa. Ma ora devo fare una cosa. Questa è la sera in cui mi ero ripromessa di fare visita alla bisnonna per scoprire cosa voleva dirmi – sempre che volesse dirmi qualcosa – con l'occhiata che mi ha rivolto il giorno del suo compleanno.

Sento la nonna che mi chiama dal piano di sotto.

«Esco! Ciao, tesoro! Non torno tardi.»

Oggi è la sua serata concerto. Circa una volta al mese, la nonna e alcune sue amiche vanno a un concerto. Di classica o jazz: musica per gente vecchia, insomma.

Questa sera cominciano presto. Più o meno alle sei al teatro di Whitley Bay. Un quartetto jazz. Finisce alle otto.

Il che mi dà circa due ore per raggiungere la casa di riposo e scoprire perché la bisnonna era così strana il giorno del suo compleanno.

Capitolo ventinove

Quando arrivo al Priory View, verso le sette, sono fradicia dentro e fuori: la pioggia che ha cominciato a scendere non appena sono uscita di casa mi ha inzuppato i vestiti, e sotto l'impermeabile sono in un bagno di sudore.

Ho preso la metropolitana, e mi sono portata anche Lady. È bello andare alla casa di riposo con lei, perché quando la bisnonna è nella sua fase non-dico-una-parola (il che è piuttosto frequente), possiamo accarezzarle la pelliccia, tanto a Lady non importano le chiacchiere: basta che qualcuno le faccia i grattini sulla pancia. E poi la bisnonna sorride sempre quando la vede.

Tynemouth è a sole tre fermate. Poi c'è una passeggiata di cinque minuti fino al lungomare, dove m'investono i goccioloni salati della pioggia estiva che arriva dal Mare del Nord.

Cammino verso l'ingresso della casa di riposo Priory View, con Lady al guinzaglio, quando incrocio un uomo che sta uscendo dalla porta. Solo che non guarda dove va e quasi ci scontriamo. Mi accorgo subito, però, che è un fumatore: gli sento addosso l'odore di tabacco.

Alza lo sguardo dal telefono, dove stava scrivendo un messaggio, e scambiamo due parole. All'apparenza non c'è nulla di strano, eppure è un incontro che mi lascia perplessa, a disagio.

Ci chiediamo scusa a vicenda, com'è normale, poi lui si ferma, quasi bloccandomi la strada, ma senza essere aggressivo; il fatto è che mi guarda con *estrema* insistenza.

Poi abbassa gli occhi, quasi si rendesse conto di avermi fissato, e dice:

«Che bel cane!».

Avete un cane? Che lo abbiate o no, questo è il classico inizio di conversazione tra due persone quando almeno una delle due ne possiede uno. È un po' come quando si parla del tempo, però meno noioso.

Di solito va così:

"Che bel cane!".

"È un maschio o una femmina?"

"Di che razza è?" (Questo solo quando la razza non è evidente. Se lo è, come nel caso di Lady, prevale questa variante: "È un Labrador, vero?".)

"Quanti anni ha?"

"Come si chiama?"

Ecco, è più o meno tutto. Chi ne ha voglia si ferma a chiacchierare, altrimenti si riparte, e ognuno va per la sua strada.

Succede così anche con l'uomo che incrocio sulla porta, ma c'è qualcosa di strano:

a) Restiamo bloccati insieme nell'ingresso della casa di riposo e
b) lui continua a *fissarmi*.

Non mi dà i brividi come ci si potrebbe aspettare. Uno sconosciuto che ti fissa di solito è una ragione valida per farsi venire i brividi, ma non oggi. Ogni volta che alzo lo sguardo, lo sorprendo a scrutarmi con insistenza.

È un tipo dall'aria giovanile – ha una trentina d'anni, direi – ed è vestito come un insegnante. Pantaloni di velluto a coste, camicia con il colletto aperto, maglione scollato a V, scarpe lucide. Ha i capelli corti d'un biondo rossiccio e un volto sottile dai denti perfetti, fin troppo bianchi, che mette in mostra a ogni sorriso che mi rivolge: lo fa un po' troppo spesso, tenuto conto che ci siamo appena incontrati.

Mentre succede tutto questo, Lady gli annusa le scarpe e scodinzola, e quando l'uomo si china a darle qualche colpetto sulla testa, noto una cosa che – a me – sembra completamente in contraddizione con quello stile da direttore universitario del dipartimento di Geografia, ed è il fatto che ha le prime due dita della mano chiazzate di giallo per il fumo da sigaretta. (Mi è capitato di vedere macchie così soltanto sul mendicante fuori dalla chiesa, quello che la nonna si ferma sempre a salutare perché, dice lei, non lo fa nessun altro.)

«Ecco, adesso dovrei...» dico, indicando l'interno della struttura.

«Sì, sì, certo» risponde lui, all'improvviso imbarazzato. Ha un accento londinese. Di sicuro non è di queste parti. Per un istante mi chiedo se non possa essere il padre di Boydy. Ma perché dovrebbe trovarsi qui?

«Allora ciao... ehm, credo di non aver capito bene il tuo nome.»

Ora sì che sta diventando inquietante. Le chiacchiere sui cani di solito non includono il fatto di presentarsi.

«Ethel» rispondo, e non volevo suonare tanto fredda, ma la voce mi esce così.

«Bene» dice lui, adesso in tono piatto. «Bene. Allora ciao, Ethel. E ciao anche a te, Lady.»

«Arrivederci.»

Lo guardo mentre scende i gradini, e nell'atrio resta il suo odore di tabacco. Attraverso insieme a Lady la calda reception con la moquette, e poi andiamo dritte verso la camera della bisnonna. Svoltato l'angolo, mi do un'occhiata alle spalle e lo vedo ancora sui gradini che si accende una sigaretta: distoglie subito lo sguardo, imbarazzato di essere stato sorpreso a fissarmi.

«Ehi, tesoro... sei proprio fradicia!» mi dice un'infermiera, quando mi vede arrivare grondante di pioggia.

Lady si dà una bella scrollata e, invece di esserne infastidita, la donna scoppia a ridere. Mi conosce, anche se non per nome.

«Sei venuta a trovare la tua nonna, tesoro?»

«La mia bisnonna, sì.»

«Sta bevendo il suo latte caldo. È seduta.»

«Come sta?»

L'infermiera ci mette un po' a rispondere, ed è chiaro

che sta soppesando le parole. Alla fine mette insieme questo discorso: «Alti e bassi, tesoro. Alti e bassi. Oggi non proprio bene. Ma sarà felice di vederti. Pensa un po', sei la seconda visita della giornata!».

Non riesco a immaginare chi possa fare visita alla bisnonna, ma forse non so proprio tutto di lei.

Lady e io percorriamo il corridoio, superando la stanza del vecchio Stanley. È lì come sempre a guardare fuori dalla finestra, e ci rivolge un debole cenno di saluto con la mano, più a Lady che a me, a dire il vero, ma non importa. Questa volta mi fermo.

«Buongiorno, Stanley» dico.

Lo chiamerei signor Comesichiama, se sapessi il suo cognome, ma non lo so. Non credo che mi abbia sentito.

Mi passa accanto un'infermiera spazientita, che mi ignora completamente.

«STANLEY, TESORO! HO QUI LE TUE SUPPOSTE!»

Mi allontano. Non voglio sapere altro dei rimedi di Stanley per i suoi problemi di stitichezza.

La bisnonna è seduta quasi nella stessa posizione dell'ultima volta che l'ho vista, ma oggi non è molto reattiva. Non credo che mi stesse aspettando, anche se ho chiamato il Priory View per avvisare che sarei passata.

Ha la sedia rivolta verso la grande finestra, e tiene le mani sotto la coperta scozzese.

«Ciao, bisnonna!» esclamo, e Lady le si avvicina, spingendole il muso contro il braccio per chiedere una carezza.

Nessuna risposta. La bisnonna guarda fuori, muo-

vendo piano la mandibola. Deve avere in bocca una caramella, forse una mentina. Le piacciono molto.

«Come stai? Sembri in forma. Mi piace il tuo cardi-
gan. È nuovo?»

Tra una domanda e l'altra faccio una piccola pausa,
come se lei rispondesse, anche se non è vero. L'ho imparato dalla nonna: fa sempre così.

Poi comincio a parlare della scuola. Le racconto di
Aramynta, del suo gruppetto di amiche e di quanto mi
diano sui nervi. Cerco di essere divertente, ma è difficile
se non suscito la minima reazione.

Raccontare alla bisnonna di Aramynta mi porta a
Boydy e, prima ancora che me ne renda conto, le sto
spiegando che sono diventata invisibile.

So che non dovrei, ma se anche lo riferisse a qualcuno,
chi mai le crederebbe? Verrebbe liquidato come lo spro-
loquio di una signora molto anziana. Questo mi fa sentire in colpa, quando ci penso: è come se approfittassi del
silenzio della bisnonna. Sta seduta lì, a fissare la pioggia
che batte forte sui vetri, e succhia la sua caramella da
almeno dieci minuti. Forse – anche se non ero consapevole – avevo già deciso di dirle tutto fin dall'inizio.

Lady si è accomodata ai piedi della bisnonna per
schiacciare un pisolino.

Noi restiamo zitte per un po'. O, meglio, sono io a prendermi una pausa. È stancante sostenere una conversazione a senso unico. Che cosa ha sentito? Che cosa ha capito?

Poi dice qualcosa.

«Invisibile.»

Tutto qui. Non aggiunge altro. È abbastanza, però, per farmi capire che negli ultimi dieci minuti non ho sprecato il fiato.

Riprendo a chiacchierare.

«Ho sentito che oggi hai avuto visite, eh, bisnonna? Chi era? Un vecchio amico da Culvercot? Dev'essere bello avere qualcuno che viene a trovarti.»

Oh accidenti, sto iniziando a suonare proprio disperata. Non è un problema, però, perché quando sollevo lo sguardo mi accorgo che la bisnonna ha la testa ciondolante: si è addormentata in poltrona. Mi alzo per uscire dalla stanza e, non appena se ne accorge, anche Lady si alza di scatto.

Proprio in quel momento entra una delle infermiere.

«Allora, Lizzie. Ti va di scendere in salotto? Stanno guardando *EastEnders*. Ti sposto sulla sedia a rotelle e andiamo di sotto.» Ha un accento straniero. Non saprei dire da dove viene, però mi ricorda Nadiya, la ragazza di prima, che arriva dalla Lituania.

«Sta dormendo» dico all'infermiera.

«Dormire? Lizzie? Non credo. NON DORMI, VERO, LIZZIE?»

Gli occhi della bisnonna si spalancano e lei sembra sorpresa di vedermi.

«Visto? Riposava solo un po' gli occhi, giusto?»

«Mi scusi» domando all'infermiera indaffarata, il più gentilmente che posso. «Oggi chi è venuto a fare visita alla mia bisnonna?»

L'infermiera non mi guarda. «Un visitatore, eh? Che fortuna, la nostra Lizzie. Due in un giorno solo!» Poi si rivolge a me: «Scusa, tesoro. Ho appena cominciato il turno. Controlla il registro degli ospiti. Lo firmano tutti».

Io non ho firmato nulla. La casa di riposo su questo punto non è molto fiscale.

«Ehi, Lizzie. Non hai caldo con quella coperta? Su... ora te la levo.»

L'infermiera toglie la coperta scozzese. Le mani della bisnonna sono rimaste lì sotto per tutto il tempo, a torcere un pezzo di carta.

È una fotografia. Una vecchia fotografia, stampata su carta lucida. Capisco all'istante chi è l'uomo – mio padre, barba lunga e capelli arruffati – e vedo che stringe tra le braccia un neonato che potrei essere io, anche se non ne sono sicura (l'immagine è un po' sfocata). Dietro di lui c'è una donna, che sorride e tiene una mano sul mio piede, come se volesse entrare nella fotografia, farne parte a ogni costo.

Solo che non è la mia mamma. Questa donna ha la bocca pesantemente truccata, occhiali scuri con la montatura da gatto e capelli castano ramati, raccolti in un'enorme acconciatura che le sta in bilico sopra la testa. Ha un'aria vagamente familiare, mi ricorda una rockstar o un personaggio famoso, ma non saprei dirne il nome.

Che cosa ci fa in una fotografia del genere qualcuno che non è mia madre? Forse è la sorella di papà. A pensarci bene, potrebbe essere chiunque.

Davvero chiunque.

Ma non è così, vero?

La bisnonna voleva che vedessi la fotografia, ecco perché mi ha chiesto di venire.

Capitolo trenta

La bisnonna si rigira la foto tra le dita tremanti, e alza lentamente lo sguardo su di me.

«Questa sono io, bisnonna?» le chiedo, sfilandole gentilmente la fotografia di mano. «La donna chi è?»

Non mi sta guardando. Apre appena la bocca, si lecca le labbra. È un gesto che riconosco: sta raccogliendo l'energia necessaria per dire qualcosa.

«Chi sei?» mi chiede. I suoi occhi non sono più annebbiati e guardano dritto verso di me.

La bisnonna dovrebbe sapere chi sono, giusto? Sento un leggero nodo allo stomaco quando capisco che forse sta perdendo la lucidità. Non riconosce più sua nipote?

In tono gentile, le rispondo: «Sono io, bisnonna. Ethel. Tua nipote». Poi ripeto, un po' più forte: «*Ethel*».

Socchiude gli occhi e stringe le labbra, come se fosse impaziente.

«Chi sei, bardottina?»

Guardo la fotografia più da vicino. Sono proprio io; e quello è decisamente papà. Indico la donna con tutti quei capelli.

«Questa chi è?» insisto.

Ma gli occhi della bisnonna si sono già spenti, come se avesse tirato le tende, e lei torna a voltarsi verso la finestra.

Mi avvicino la fotografia agli occhi per guardarla meglio. Ed è allora che sento l'odore.

Di tabacco. Annuso la superficie e non ho dubbi: c'è puzza di sigaretta, un odore debole ma distinto.

Sto guardando la fotografia e allo stesso tempo la annuso, il che immagino possa sembrare strano; in quel momento mi accorgo che l'infermiera di poco fa mi si è avvicinata alle spalle e osserva lo scatto insieme a me. Avrà sentito cosa ci siamo dette, non mi ero proprio accorta della sua presenza.

«Sai a chi somiglia?» mi dice, mentre sprimaccia un cuscino da sistemare dietro la schiena della bisnonna. «Oh, sei troppo giovane. È morta molti anni fa. Forse prima che tu nascessi. Sembra Felina! Identica sputata. Cantava quella canzone... *Light the Light... du dudu daa...*»

L'infermiera intona la canzone che Boydy canticchiava l'altro giorno. Anche Felina mi suona familiare: sarà un nome d'arte.

Annuisco rivolta all'infermiera. «Sì, l'ho sentita nominare.»

Sono sicura che la fotografia è un regalo per me, così la infilo in tasca.

L'infermiera continua a parlare. Borbotta qualcosa tanto per fare conversazione.

«Uccisa dallo show business, così dicono.»

«Chi? Felina?»

«Sì. Droga, alcol... il solito. L'hanno rovinata. E alla fine uccisa. Tienilo a mente come lezione, tesoro.» Sta sventolando un dito verso di me, ma non lo fa con cattiveria.

«So che alla tua bisnonna piacciono le sue canzoni.» Si volta verso di lei e alza un po' la voce. «Ti piacciono le canzoni di Felina, vero, Lizzie? Eri una sua fan, giusto?»

La bisnonna guarda fuori dalla finestra con gli occhi socchiusi. Sulle labbra le spunta un minuscolo sorriso.

«Ero qui l'altro giorno, e in radio è passata una delle sue canzoni. Sono certa che la tua bisnonna stava ascoltando. Ha cominciato a muovere le dita a ritmo, te lo giuro.»

Capitolo trentuno

Sulla strada di casa, consumo un po' del mio traffico dati per ascoltare sul cellulare *Light the Light* di Felina. È una canzone lenta, con una chitarra distorta, un sassofono (credo) e percussioni. La voce di Felina è roca ma bellissima.

> *You always said that I never should,*
> *And I always said that I would and I could.*
> *You were never there*
> *But I didn't want to care, so...*
> *Light the light! Let me see you tonight.*
> *Light the light! Let me put it right...*

Non sono brava ad analizzare i testi delle canzoni. A volte sembra proprio che non abbiano senso. Però in questo caso credo che si parli di una donna e di un uomo con cui non riesce ad andare d'accordo. Mi rattrista, ma l'ascolto lo stesso per tre volte.

Arrivo a casa poco prima che il reverendo Henry Robinson lasci la nonna davanti alla porta.

Non le racconto che sono stata a trovare la bisnonna, e non le mostro la fotografia. So che è importante, ma non riesco a capire perché: l'unica cosa chiara è che c'è un segreto.

Altrimenti perché la bisnonna mi avrebbe chiesto chi sono?

Capitolo trentadue

Ho un segreto da custodire. Anche la nonna e la bisnonna ne hanno uno. È una sensazione che fa sentire soli. Mi chiedo: se fosse tutto alla luce del sole, azzarderei la mia prossima mossa?

Prima di andare a letto, in vista di domani, bevo un litro di *Decotto "Pelle Liscia" del dottor Chang*. Sto quasi per vomitare, ma riesco a trattenermi.

Domani sarò di nuovo invisibile. Domani riparerò al torto che ho fatto a Elliot Boyd.

Ma non è solo questo, vero? Lo sapete voi, e lo so anch'io.

Rimediare a un torto è una bella cosa, certo – e sì, sarebbe meglio non fare torto a nessuno –, ma non è una buona ragione per un'impresa tanto rischiosa.

Allora perché lo sto facendo?

È l'ultima cosa che penso prima di sprofondare in un sonno intermittente e sudato.

Chi sono io?

Chi sono io?

Tornerò invisibile, e lo scoprirò.

Capitolo trentatré

E adesso, un'altra confessione.

Sono una ladra.

Non una ladra cattiva. È solo che il mio acquisto cinese in internet, il *Decotto "Pelle Liscia" del dottor Chang*, ecco, l'ho pagato con la carta di credito della nonna.

È sbagliato, lo so, e se lei lo scoprisse si arrabbierebbe davvero tanto.

Non penso che lo scoprirà, però. Non subito, comunque. So per certo che è davvero una frana quando si tratta di controllare il suo estratto conto: le buste restano chiuse e impilate per lunghe settimane in un cassetto della cucina, finché la nonna non trascorre un'intera serata ad aprirle e a trasferire i fogli in una cartelletta che una o due volte l'anno consegna al signor Chatterjee, che le tiene la contabilità.

Se volessi, potrei usare la carta di credito della nonna per ordinare tutto quello che mi passa per la testa, ma non lo faccio.

Questa è stata l'unica volta e solo perché lei mi aveva detto che non avrebbe mai e poi mai fatto quell'ordine per me, perché era una "sciocchezza bell'e buona", "potenzialmente pericolosa".

Quindi sono una ladra.

E sto per diventare anche una falsificatrice.

Devo falsificare una giustificazione per la scuola: voglio dire, se sono invisibile, penseranno che sono assente, giusto? Questo è ancora più facile del previsto, dal momento che la scuola accetta le giustificazioni via e-mail.

Il mattino dopo mi sveglio alle sei e mi siedo davanti al computer al piano di sotto prima che la nonna si alzi. Ho aperto il suo account di posta.

A: admin@whitleybayacademy.ac.uk
DA: beatriceleatherhead12@btinternet.co.uk
RE: Ethel Leatherhead, seconda media, sezione A

Vi prego di giustificare l'assenza di Ethel. Ha avuto un disturbo allo stomaco e non sta bene. Credo rientrerà domani.
Grazie,
B. Leatherhead

Clicco su Invio e poi entro nella cartella Inviati per cancellare l'e-mail.

Ora comincia l'attesa. Devo aspettare il messaggio di conferma da parte della segreteria della scuola, per farlo sparire. In questo modo la nonna non potrà vederlo quando controlla la posta dall'ufficio.

Il computer emette il suono metallico di un'e-mail in arrivo, ma non è quella che sto aspettando, così abbasso il volume.

La signora Moncur, la segretaria, di solito arriva a scuola alle 7.45: lo so perché la incrociavo sempre quando entravo in anticipo per le prove mattutine del coro (finché la nonna non me l'ha impedito perché era convinta che non dormissi abbastanza).

La nonna scende al piano di sotto alle 7.30.

Sono nervosa ma cerco di comportarmi in modo normale, tenendo d'occhio il computer.

«Hai portato dentro il giornale?» domanda quando mi raggiunge per fare colazione.

La mattina ci consegnano il giornale, e la nonna lo legge mentre mangia un toast integrale e mezzo pompelmo. Nel frattempo, io sgranocchio i miei cereali.

«No» rispondo.

Il ragazzo dei giornali è proprio inaffidabile: salta casa nostra almeno un giorno alla settimana. E quando succede, la nonna legge i titoli in internet.

Devo pensare in fretta. Il router è dall'altra parte della cucina, accanto al frigorifero, così mentre la nonna sposta lo sgabello per sedersi, prendo un bicchiere per versarmi il succo e intanto spengo l'interruttore.

È solo una soluzione temporanea. Voglio dire, la nonna non è un'esperta di computer, ma fino a spegnere e accendere il router ci arriva.

La sento che sbuffa.

«Ma insomma. Ethel, puoi dare un'occhiata? Non mi funziona internet.»

«Hai già fatto uno speed test?» le chiedo, mentre mi protendo verso di lei e clicco sul mouse. «Anche ieri continuava a inchiodarsi.»

È un'operazione che dura un paio di minuti, e alla fine apparirà questo messaggio: "Non sei connesso a internet. Per favore controlla il router".

Mentre parte il test, la nonna esce dalla cucina.

Devo agire in un lampo.

Apro Word, scelgo una font noiosa e scrivo più veloce che posso:

**IL TUO PROVIDER INTERNET È
TEMPORANEAMENTE INATTIVO.
ERRORE 809. RIPROVA PIÙ TARDI.**

Faccio uno screenshot e lo importo nella cartella delle immagini.

Oddio, non ricordavo quanto tempo ci mettono le fotografie…

Una volta caricata, apro l'immagine e premo sul pulsante Modifica, per ritagliarla in modo che resti solo un rettangolo di testo, che sposto sul desktop.

Sento la nonna che torna al piano di sotto.

Clicco sull'avviso e faccio di nuovo uno screenshot, poi apro l'immagine mentre la nonna entra in cucina.

Cerco di cambiare espressione, passando dal PANICO TOTALE a una lieve irritazione, e poi sbuffo.

«C'è qualche problema con il server» dico. «Guarda.»

Si avvicina e legge il messaggio d'errore. Non sembra affatto un messaggio d'errore, ma se non hai particolari ragioni per essere sospettoso può funzionare.

Grazie al cielo la nonna non sospetta nulla. Muove un po' il mouse, sbuffa a sua volta, poi rimette sul fuoco il bollitore.

Ce l'ho fatta! Ed ecco che in alto a destra sullo schermo appare l'avviso di un nuovo messaggio.

Grazie per averci informato dell'assenza di Ethel. Ci auguriamo che guarisca presto.
Cordiali saluti
Sig.ra D. Moncur

Premo Cancella senza fare rumore, mentre la nonna è ancora voltata.

Pfiu. E tutta questa fatica solo per un paio di giorni di assenza.

Capitolo trentaquattro

Ora che la nonna è andata al lavoro (io mi sono "ricordata all'improvviso" di un compito di Geografia che non ho finito, così è uscita senza di me), tracanno altri due bicchieri di quello che ormai chiamo *Pelle Liscia con il Disgustoso Intruglio Chang*.

Sto diventando sempre più brava a tenerlo giù. Non sto male come prima, anche se lo stomaco si torce per la tensione, gonfio e teso d'aria, proprio come ricordavo.

Decido di aspettare che esca tutto il gas, come l'altra volta, prima di stendermi sul lettino solare. Voglio che sia tutto identico.

Non devo aspettare a lungo. Circa un'ora dopo che la nonna è partita, comincio a ruttare.

Cerco di fare il conto alla rovescia dall'inizio del talent show a scuola, che sarà alle 13.30, subito dopo pranzo. La prima volta la mia invisibilità è durata circa cinque ore, quindi non devo uscire dal lettino prima delle 10.30. Per adesso, dunque, tutto quadra.

Mi batte forte il cuore, ho lo stomaco sottosopra, il cervello che corre, e vi risparmio i rutti: non volete saperlo. Non è un odore normale. Anche se mangiate uova al curry, non riuscirete mai a produrre una puzza del genere. Rimane sospesa nell'aria del garage come una nube tossica.

Stendermi sul lettino solare è diverso dall'ultima volta; soprattutto perché so che cosa sta per succedere, quindi sono nervosa, e peraltro non voglio addormentarmi. Me ne resto lì, a occhi chiusi.

Oggi ho acceso la radio, e c'è un ascoltatore in onda che chiede:

«… potresti farmi ascoltare *Light the Light* di Felina, Jamie?».

Questo sì che è strano. Voglio dire, so che è una coincidenza, però…

«Grande scelta! Grande scelta. Una delle mie preferite. Perché proprio questa canzone, Chrissie?»

«È per la mia mamma» dice l'ascoltatore. «Mi fa pensare a lei. È morta quando…»

Ma Jamie Farrow taglia corto, forse perché alle nove e mezza del mattino non bisogna essere troppo sentimentali su Radio Nord-Est.

«Per la tua mamma! Che bella cosa, Chrissie, che pensiero carino, sono sicuro che l'apprezzerà ovunque si trovi. Allora, per Chrissie di Blaydon e per la sua adorata mamma, eccola qui: la grande e compianta Felina con *Light the Light*.»

Ormai la canzone mi è familiare: il lento *bum bum bum* della grancassa all'inizio, poi un accordo di chitarra dal suono profondo e roco, la voce rauca di Felina, e chissà come – forse per la paura combinata a tutto il resto – mi faccio prendere dall'emozione. Mi viene un groppo in gola, deglutisco, e devo spegnere la radio.

Sto sdraiata in silenzio e lascio scorrere il tempo a occhi chiusi, perché non bisogna guardare le lampade uv dentro un lettino solare.

So che non sto dormendo, ma è come svegliarsi. Capisco che è successo perché i raggi uv cominciano a filtrare oltre le palpebre, all'inizio lentamente.

Apro gli occhi per vedere che cosa sta succedendo.

Se porto una mano davanti al viso, riesco a vedere attraverso: è come se fosse di plastica semitrasparente, e la visione si fa più chiara a ogni secondo che passa. È difficile vedere con esattezza, perché ho gli occhi un po' abbagliati dalla forte luce, ma so che sta funzionando, su questo non c'è dubbio.

Capisco che il processo è concluso perché, anche se tengo gli occhi serrati, continuo a scorgere la luce color malva emessa dalle lampade uv del lettino solare.

Per non correre rischi – anche se temo che qualche rischio sia decisamente da mettere in conto, data la situazione – resto sdraiata qualche altro minuto prima di sollevare il coperchio e uscire.

Vado allo specchio e ancora una volta mi stupisco di essere completamente invisibile, dalla testa ai piedi.

E adesso vado a scuola.

Capitolo trentacinque

Sono in piedi davanti alla porta e scopro che non ci riesco.

Non posso uscire per strada, attraversare i giardini Eastbourne e svoltare a destra verso la scuola come faccio ogni giorno.

Non posso, perché sono nuda.

Non che gli altri possano vedermi, questo lo so. Ma sento il venticello sulla pancia scoperta ed è proprio strano.

Cerco di immaginare di avere addosso un costume da bagno, e questo mi aiuta.

Esco e percorro qualche metro in strada prima di tornare sui miei passi: mi è bastato vedere il vecchio Paddy Flynn che avanza con il suo deambulatore verso il lungomare. Dentro di me so che non può vedermi. È tutto nella mia testa invisibile.

Mentre esito sulla soglia, studio ancora una volta il piano:

1. Salgo sul palco mentre sono invisibile.
2. Prendo la chitarra dalle mani di Boydy, mentre lui cerca di assassinare chissà quale canzone.
3. Creo l'illusione che Boydy stia facendo levitare la chitarra.
4. Boydy riceve una valanga di applausi, tutti dicono che è straordinario e a quel punto…
5. Mi perdona per aver detto che è grasso, anche se non ho detto proprio così, ma più o meno.

Non so spiegarvi perché pensare a cosa gli ho fatto mi disturba tanto. Voglio dire, fino a poco tempo fa non volevo nemmeno che fossimo amici. Però è così che mi sento. In fondo, se non provo nemmeno a farmi perdonare, non sono tanto diversa da Aramynta e le sue amiche.

È stata l'espressione sul volto di Boydy quel giorno in mensa: lo sguardo di qualcuno che ha appena scoperto che il mondo non è come pensava. Conosco la sensazione.

A ogni modo, qualunque sia la ragione, a quanto pare sto per farlo davvero.

Prima, però, devo uscire dalla porta di casa, e forse la soluzione sono i vestiti.

Anche se non ho intenzione di rispolverare la maschera da clown, poco ma sicuro.

Capitolo trentasei

Mezz'ora più tardi eccomi davanti al cancello della scuola: è stato un gioco da ragazzi.

Jeans, calze, scarpe da ginnastica, un vecchio impermeabile con la cerniera che nessuno a scuola riconoscerebbe (visto? Sono previdente), un paio di vecchi guanti bianchi della nonna, occhiali da sole e...

Un collant in testa! Come un rapinatore di banca (quando ancora si rapinavano le banche). Ho preso un paio di collant della nonna (puliti), ho tagliato una gamba e me la sono infilata in testa. È color carne, quindi se chiudo la cerniera dell'impermeabile fin sulla bocca, e stringo il cappuccio, restano fuori solo il mio naso (invisibile) e gli occhiali da sole.

Sembro un po' strana, lo ammetto. È un giorno umido e afoso, siamo a giugno, e la maggior parte della gente esce senza giacca, ma se procedo a capo chino nessuno ci farà caso. O così mi dico.

Adesso sono qui, fuori dal cancello della scuola, che però è chiuso. Un anno fa non sarebbe stato un problema, ma dopo che lo zio di una qualche ragazza della prima superiore ha cercato di portarla via, la scuola ha messo in piedi un gigantesco sistema di sicurezza, con sensori per le impronte e telecamere sui cancelli.

Forse potrei usare le mie impronte invisibili, però verrei ripresa dalla telecamera di sicurezza, e vestita così sembro tutto meno che una studentessa.

Ma ancora una volta – e perdonate la sbruffoneria – ho calcolato tutto. Sfilo di tasca un sacchetto di plastica. C'è un grosso cespuglio di rododendro accanto all'alta rete metallica, tanto grande che dentro c'è spazio per circa due persone e di solito viene usato dai ragazzi più grandi che vogliono fumare. Il terreno è cosparso di mozziconi, ma non m'importa. È arrivato il momento di tornare nuda e ho ben altro di cui preoccuparmi.

Mi tolgo rapidamente i vestiti, li caccio nel sacchetto di plastica, e metto tutto sotto il cespuglio.

Poi riemergo.

Nuda e invisibile.

La passeggiata mi ha resa audace. Non sono più nervosa come poco fa.

Torno verso il cancello appena prima che accosti un furgone con scritto TYNE CATERING sulla fiancata. Un attimo dopo si sente un suono metallico e il cancello si apre. Mi basta camminare dietro il furgone, ed ecco fatto: sono dentro la scuola.

Fuori non vedo nessuno. Sono tutti a lezione.

C'è un viale abbastanza lungo che arriva fino al portone d'ingresso e prosegue sul retro, girando attorno alla scuola, un edificio a due piani con annessi e fabbricati senza fine, tutti costruiti in momenti diversi, con una targa a ricordare il consigliere locale che ha presenziato alla cerimonia d'inaugurazione.

Il più recente è il laboratorio di Arti performative, che si trova sulla destra, dove sto andando adesso. È qui che fra un'ora avrà inizio il talent show.

L'aria è calda e appiccicosa, e il cielo d'un grigio violaceo che minaccia tempesta. Ma finché non si mette a piovere, va tutto bene.

Perché se comincia a piovere, le gocce colpiranno la mia pelle invisibile e io tornerò visibile.

Capitolo trentasette

Plin.
Plin.
Plin.

Capitolo trentotto

Non ve l'ho spiegato prima, perché finora non c'è stato un vero acquazzone. Ma sapevo che prima o poi sarebbe capitato, e ho rimandato tutto a quell'occasione.

Ora ci siamo, quindi ecco qui.

Non c'è niente di peggio, per me, che sentirmi addosso la pioggia, quando scende davvero forte. Lo dico in generale, non solo adesso che sono invisibile.

Una delle ragioni per cui non ho mai sfiorato l'argomento è che non voglio passare per matta, anche se lo sono. Un pochino, almeno.

Non sto dicendo che mi vengono gli attacchi di panico per due gocce d'acqua. Non è questo.

Ma la pioggia – la pioggia battente, non un semplice scroscio – mi fa pensare alla mamma. Mi rende triste. Non voglio essere triste quando penso alla mia mamma. Il che mi fa paura. Vi pare che abbia senso?

Ho paura della pioggia perché mi rende triste quando penso alla mamma.

La ragione è questa, suppongo: uno dei rari ricordi

che ho di lei è in un giorno di pioggia, e non è un bel ricordo.

È stato prima del funerale, di cui vi ho già parlato. Forse è il mio ricordo più lontano. Avevo due anni e mezzo? Magari anche meno. Sto camminando, questo lo so, su un marciapiede chissà dove. E cammina anche la mamma, stringendomi il polso.

Piove, piove sul serio. Cadono i fulmini, e la gente grida, e la mamma è zuppa d'acqua e risponde gridando, impreca, dice loro di andarsene, solo che usa parole meno educate. Mi stringe il polso tanto forte che sento male e questo mi fa piangere, e piange anche lei.

Mentre eravamo lì in strada, doveva esserci molto traffico, perché l'odore della pioggia e dei gas di scarico a volte fa riaffiorare questo ricordo, soprattutto se è notte, e...

Non c'è altro. Ero agitata, la mamma era agitata, la gente attorno a noi non era affatto gentile e il polso mi faceva male. Ricordo solo questo, per quanto vago.

In fondo ero piccola.

Così, quando comincia a piovere, divento subito triste.

In questo momento, però, torno anche visibile.

Abbasso lo sguardo e vedo le gocce d'acqua che restano sospese nell'aria dove ci sono le mie braccia, sopra le mie mani, trasformandomi in una sorta di fantasma luccicante.

Capitolo trentanove

Mentre scende la pioggia, calano anche le temperature. Il clima passa da caldo e appiccicoso a freddo e umido, e io me ne sto rannicchiata contro il muro del laboratorio di Arti performative, nel punto in cui il tetto è più sporgente, e cerco di togliermi la pioggia di dosso con le mani, per quanto possibile, sentendomi infreddolita, tremante, spaventata e furente.

Freddo e brividi non c'è bisogno di spiegarli. La paura è legata al legame pioggia-mamma, che mi toglie il fiato e mi fa battere forte il cuore.

La rabbia? Quella dipende da me. Sono furibonda perché ho deciso di correre un rischio tanto stupido. A cosa stavo pensando quando ho deciso che sarebbe stata una buona idea?

Scommetto che, non appena lo avete letto, vi siete detti: *Che follia.*

Be', congratulazioni. Avevate ragione.

Abbasso lo sguardo e osservo il punto in cui si trova il mio corpo: mi sembra di aver rimosso gran parte della pioggia dalla pelle. Eccetto…

Oh. Santo. Cielo. La testa!

Ho i capelli zuppi. Li sento, ma non li vedo. Mi avvicino in punta di piedi a un vetro. È una delle finestre dell'aula di recitazione, e dietro c'è una tendina scura, che rende il vetro uno specchio quasi perfetto; come mi aspettavo, quando mi ci trovo di fronte, vedo una folta chioma argentea e bagnata: sbiadita, ma comunque visibile.

Ha qualcosa di... strano. Osservo più da vicino, e vedo il mio respiro che appanna il vetro.

L'unica soluzione è asciugarsi i capelli, e per farlo mi serve il bagno delle femmine, dove c'è un asciugamani elettrico.

Devo agire in fretta, lo so, ma non resisto alla tentazione di disegnare le mie iniziali sul vetro appannato.

E.L.

Poi mi blocco. Sento qualcuno che parla alle mie spalle.

«Hai visto?»

Non oso voltarmi, ma riconosco la voce.

Riesco a vederle nel riflesso, a circa tre metri di distanza. Sono Aramynta Fell e Katie Pelling, un'altra del suo "giro".

«Visto cosa?» domanda Katie.

Si fermano tutte e due e restano lì a fissarmi. O forse dovrei dire che mi trapassano con lo sguardo.

«Quello» indica Aramynta. «Le lettere... si sono scritte da sole.»

La condensa sul vetro, grazie al cielo, si dissolve insieme alla scritta.

«Di cosa stai parlando?» chiede Katie. «Quali lettere?»

«Era qui, era... erano... e cos'è quella roba?» Sta indicando la mia testa.

Sta indicando me.

Ma Katie ha perso interesse. Senza quasi voltarsi, gira dietro l'angolo.

«È un muro, Aramynta. Tengono su i tetti, hai presente? Dài, siamo in ritardo.»

Aramynta non le dà retta, e io sono terrorizzata perché si sta avvicinando. A passi lenti, incerta, con la mano tesa. E so che mi toccherà la testa.

«Dài!» insiste Katie Pelling.

Dovrei mettermi a correre? Temo, però, che mi seguirebbe: ha uno sguardo curioso e determinato. Oltretutto, la mia via di fuga è bloccata da Katie Pelling.

Forse è meglio trovare un'alternativa. Qualcosa che le impedisca di toccarmi la testa. Non ho idea di come mi venga in mente, ma ho un solo istante per agire, visto che la sua mano è a pochi centimetri da me.

Tiro fuori la lingua ed emetto uno strano verso, forte e gutturale.

Una cosa tipo: *claaaaaarghhhhhhhh!*

E poi, per sicurezza, le do una leccata sulla mano.

Succede tutto insieme: verso e leccata.

È la combinazione di questi due elementi, credo, a terrorizzarla tanto.

Ci vuole un attimo perché capisca cosa le è successo, poi Aramynta Fell fa qualcosa per cui sono quasi dispiaciuta: emette un piccolo grido sbigottito e cade in ginocchio.

Resta davvero senza parole per lo sgomento. Non sono certa che si possa definire paura, perché in fondo non sa nemmeno se c'è qualcosa per cui spaventarsi. Inizia ad ansimare e singhiozzare, fissandosi la mano mentre indietreggia.

«Mynt! Che diavolo ti prende?» dice Katie, avvicinandosi preoccupata.

Aramynta non ha mai distolto gli occhi dai miei capelli, ma lo fa ora. Colgo l'occasione per correre via, supero l'angolo andando verso la porta, ma poi mi fermo ad ascoltare la sua risposta.

«È... è... voglio dire... mi ha leccato... Che schifo!»

Katie, all'improvviso, sembra preoccupata. «Ehi, tesoro. Va tutto bene. Dài. Che problema c'è? Accidenti, guarda, sei finita dentro una pozzanghera...»

Sento che tornano da dove sono venute e mi appoggio al muro, respirando a fondo nel tentativo di non ridere.

Non sono nemmeno sicura che quello che è successo sia divertente.

Mi ha dato una certa soddisfazione, questo sì.

Divertente, però?

Questa faccenda dell'invisibilità è più complicata di quanto pensassi.

Capitolo quaranta

Ho trovato il nascondiglio perfetto dietro le quinte del piccolo palcoscenico del teatro della scuola.

Ci sono una pila di sedie e un caminetto finto, che è stato usato l'anno scorso nella recita scolastica di *Oliver!* Se mi stringo lì in mezzo, starò fuori dai piedi, invisibile a tutti, anche se non lo fossi già, naturalmente.

Se mi sporgo, riesco a scorgere una parte del pubblico che sta entrando, chiassoso ed emozionato. Sono quasi nervosa di essere qui sul palco, e anche se so – lo so benissimo – che nessuno può vedermi, è davvero una sensazione strana.

Il talent show della scuola funziona così.

Venti esibizioni, due per ogni classe, di tre minuti ciascuna. Con le presentazioni, il cambio palco e la premiazione finale, lo spettacolo dura circa due ore.

Non ci sono commenti dei giudici, o almeno non quest'anno. Durante la prima edizione, prima che io arrivassi a scuola, ci avevano provato, ma i giudici – che erano altri ragazzi – avevano fatto un po' troppo gli spiritosi ed erano stati cattivi. Due concorrenti avevano lasciato il palco in lacrime. L'anno scorso hanno scelto come giudici gli insegnanti, ma sono stati troppo gentili e hanno detto che erano tutti bravissimi, anche quelli che non lo erano affatto, tanto che gli spettatori si sono messi a fischiare la giuria.

Così quest'anno c'è un comitato di tre studenti e tre insegnanti, che votano in segreto e non fanno commenti.

Il presentatore sarà il professor Parker. Sale i gradini a balzi con il suo papillon, tra acclamazioni, applausi e almeno un fischio di ammirazione, a cui risponde con un finto inchino che fa ridere il pubblico.

(Dovrebbe farlo tutto il professor Parker, lo spettacolo. Vincerebbe a mani basse.)

«Grazie, grazie. Un po' di decoro, vi prego: dobbiamo prepararci a una vera cornucopia di esibizioni! Abbiamo cabarettisti, cantautori romantici, contorsionisti, compositori d'arte tersicorea – la prego gentilmente di non ridacchiare, Knight: può sempre consultare un dizionario, se trova che i vocaboli prescelti offuschino la chiarezza del mio discorso.»

Metà delle volte mi tocca indovinare il significato di quello che dice, ma adoro ascoltarlo.

Prosegue così ancora per qualche minuto, poi arriva il momento della prima esibizione.

«Vi prego di battere le mani con ardore e fervore per dare il benvenuto alla Maestra della Melodia, direttamente dalla prima E, la signorina Delancey Nkolo!»

Delancey è dell'anno precedente al mio, ed è brava.

Le luci si abbassano e poi si accendono di nuovo quando sale sul palco e tutti applaudono. Due ragazzi di seconda si occupano delle luci, e lei canta una canzone di Beyoncé con tutti i vocalizzi e i gorgheggi del caso.

Quando finisce, esplode un boato e io penso: *Povero Boydy.*

Altre due esibizioni – Finbar Tuley che suona un pezzo davvero difficile al pianoforte, e due ragazze della classe della professoressa Gowling che si esibiscono in alcune mosse tipo yoga a ritmo di musica – e poi arriva il turno di Boydy.

Il professor Parker lo presenta.

«Signore e signori, tutti voi conoscete Eric Clapton e Jimi Hendrix – sempre che ascoltiate buona musica... State buoni, state buoni. Adesso è il momento di scoprire Boyd. Dalla sezione A, classe seconda, un chitarrista eccellente, grandioso, pantagruelico. Un bell'applauso per Elliot Boyd!»

Wow. Questa sì che è una presentazione. Mentre Boydy si fa strada verso il palcoscenico, si capisce che è nervoso: e chi non lo sarebbe dopo un crescendo del genere?

Comincia ad accordare la chitarra. *Ding-ding-ding. Ding-ding-ding... dong.*

Oh no.

(Un consiglio per chi si esibisce con la chitarra: accordate lo strumento prima di cominciare.)

Boydy strimpella qualche accordo di prova, e poi

si rimette ad accordare. Si sente qualche risatina sarcastica.

Dài, Boydy, datti una mossa, sto pensando.

Un brusio attraversa la platea.

Li sta perdendo, e so che devo intervenire subito. Esco da dietro il caminetto, respiro a fondo e mi preparo per la cosa più spaventosa che mi sia mai capitato di fare.

Capitolo quarantuno

Avete mai sognato di essere nudi in pubblico?

Non è una cosa insolita. Anzi, pare che "trovarsi nudi in pubblico" sia uno degli incubi più ricorrenti. È primo in classifica davanti a cadere, volare, essere inseguiti e presentarsi a un esame senza aver studiato.

Nel mio incubo ricorrente mi trovo a scuola, anche se non questa ma la mia vecchia scuola elementare. Sono in cortile e, abbassando lo sguardo, capisco con orrore di essere completamente nuda. Non ho addosso nemmeno uno straccio, e la cosa strana è che nessuno sembra averlo notato. Se continuo a camminare, superando una porta dopo l'altra, tutti mi ignorano. Non sono lontana dal guardaroba, dove conto di trovare sugli attaccapanni qualche vestito da mettermi addosso. Ma anche se sto andando nella direzione giusta, il guardaroba non si avvicina, mentre a ogni passo cresce la convinzione che gli altri possano accorgersi che sono nuda. L'imbarazzo si trasforma nella paura concreta che tutti si voltino a guardarmi, e alla fine mi sveglio. Conosco l'incubo tanto bene che a volte, mentre ancora sto sognando, mi dico: *Oh, Ethel, è di nuovo quello stupido incubo. Perché non ti svegli?* E lo faccio.

Sono d'accordo: i sogni degli altri sono molto noiosi. Di solito i miei non li racconto a nessuno, perché io stessa mi annoio a morte quando gli altri mi raccontano i loro. Ma questo sogno è importante, perché quando emergo da dietro le quinte del teatro è proprio così che mi sento.

Sono nuda come mamma mi ha fatto, con una sola differenza: nessuno riesce a vedermi.

Una sensazione strana? Potete scommetterci.

Sono sul palcoscenico, davanti all'intera scuola, senza vestiti.

Per qualche istante resto lì, rigida per la paura.

Mi aspetto che qualcuno da un momento all'altro gridi: "Guardate! C'è Ethel Leatherhead nuda!".

Ma nessuno lo fa.

Boydy invece arranca a fatica sulle note di un brano per chitarra, e il risultato è orribile. Il pubblico comincia a ridacchiare.

Mi avvicino, restandogli alle spalle, e mi chino accanto a lui.

«Sono io, Ethel.»

Lui sussulta e si volta all'improvviso, mancando un'altra nota.

Il pubblico ora ride apertamente, e sento il primo «Buu», anche se deridere chi si esibisce è severamente vietato.

Boydy si interrompe.

Con gentilezza, gli sfilo la chitarra di mano.

«Lasciala andare. Andrà tutto bene. Vedrai» sussurro, in modo che il microfono non possa catturare la mia voce.

Sento che Boydy molla la presa sul manico, così sollevo la chitarra ancora più in alto.

Nella sala scende il silenzio, poi qualcuno ha un piccolo sussulto, che diventa un brusio diffuso.

Dico all'orecchio di Boydy: «Ora fingi di farla volare».

Devo concederglielo: è bravo. Capisce all'istante e comincia a fare gesti misteriosi con le mani, mentre faccio ondeggiare la chitarra da una parte all'altra del palco e riprendo la melodia da dove lui si è interrotto.

È difficile suonare mentre continuo a manovrare la chitarra: non sono così brava. Però metto a segno qualche accordo giusto tra un volteggio e l'altro dello strumento, e al pubblico in sala piace molto!

Con un finto sorriso stampato sul volto, Boydy ruota leggermente la testa verso di me e, senza cambiare espressione, mi bisbiglia: «Ethel, sei... ehm, sei nuda?».

«Shh. Sì. Certo che lo sono. Ma non ci pensare.»

Continua a sorridere. «Non ci stavo pensando. Per niente. Almeno fino a questo momento.»

«Zitto.»

«D'accordo.»

Parte un breve applauso, poi si leva un'acclamazione dal pubblico quando sollevo la chitarra ancora più in alto. Rido sotto i baffi mentre immagino lo spettacolo visto dalla platea: deve sembrare una vera magia!

Boydy ride come un matto, e agita le braccia fingendo di controllare i movimenti della chitarra mentre ci spostiamo da un lato all'altro del palco, e mi sento abbastanza sicura da dirgli: «Seguimi!».

C'è un corridoio in mezzo alla platea, che arriva fino all'uscita sul retro del teatro. Mentre Boydy mi viene dietro continuando ad agitare le braccia, e io strimpello la chitarra come meglio posso, scendo i gradini del palcoscenico e affronto il corridoio.

Lo so: è un grosso rischio. Ma fino a oggi ho condotto una vita quasi priva di rischi, e voglio rimettermi in pari.

Dev'essere il brivido a rendermi così determinata. L'emozione di fare qualcosa di tanto audace senza essere vista.

Chiunque potrebbe allungare una mano e toccarmi, ma sono così sbalorditi che nessuno lo fa. Si limitano a guardare, scioccati, mentre Boydy, con il suo sorriso folle, guida la sua chitarra fluttuante lungo il corridoio centrale della sala, in mezzo al pubblico, cavalcando l'onda dello stupore.

Scuotono tutti la testa per la meraviglia, con la bocca spalancata, gli occhi che brillano, e l'esibizione piace a tutti, *Boydy* piace a tutti, e vorrei che questo momento non finisse mai.

Vorrei che qualcuno me lo spiegasse: perché ogni volta che mi diverto c'è una voce dentro la mia testa sempre pronta a dirmi che andrà tutto a rotoli? È come se non potessi mai vivere il presente, anche se in realtà sarebbe giusto farlo.

Torno sempre alle parole che direbbe la nonna in un momento del genere:

"Più in alto si vola, Ethel, e più rovinosa sarà la caduta".

Non va inteso in senso letterale, è ovvio, ma avrei dovuto capire cosa stava per succedere.

Giusto? Non lo so: chi poteva dirlo?

Credo che dipenda tutto da Jesmond e Jarrow Knight; se ci sono loro, devi stare in guardia, e in effetti li scorgo in platea, a metà strada verso il fondo, vicino al corridoio.

Con delle bottigliette d'acqua. Riuscite a immaginare nulla di più innocente?

Niente pistole ad acqua, né megaspruzzatori. Solo bottigliette d'acqua, di quelle per fare sport, con il tappo da cui si può bere.

Vedo Jesmond con la coda dell'occhio, ma è troppo tardi.

Ha già sollevato la bottiglietta, e ha uno stupido sorriso su quella stupida faccia. Passa qualcosa a sua sorella; il telefono, suppongo. Poi schiaccia la bottiglia tra le mani, e uno spruzzo d'acqua colpisce in pieno Boydy. È solo un getto sottile, però mi arriva dritto sul viso e i capelli.

Accanto al fratello, Jarrow impugna il telefono e filma tutto.

Capitolo quarantadue

All'inizio non credo che se ne accorga nessuno.

Jesmond spara di nuovo, e l'acqua mi colpisce ancora. È difficile mancarmi: sono più o meno a un metro di distanza da lui.

Succede tutto in pochi secondi. Però capisco di essere tornata, almeno in parte, visibile.

Scaglio in aria la chitarra, gridando: «Prendila, Boydy!», senza preoccuparmi di cosa potrebbe succedere se gli altri sentissero una voce che viene dal nulla. Spero che il frastuono in sala sia abbastanza forte perché nessuno riesca a capire da dove arriva la mia voce.

Peccato che, nell'esatto istante in cui grido, gli studenti più vicini vedano apparire una sagoma sbiadita, nel punto in cui sono stata colpita dal getto, e in quella parte di teatro cala il silenzio.

Aramynta Fell, che è nella fila successiva, esclama: «Oh mio Dio. Eccolo di nuovo!».

Boydy afferra la chitarra per il manico, e io sto già correndo lungo il corridoio.

Qualcuno abbandona il proprio posto per seguirmi o

semplicemente sporge la testa per avere una visuale migliore. Forse pensano che quello strano affare sia parte del numero di Boydy, un altro trucco.

Alle mie spalle sento il professor Parker che grida: «Seduti, tutti quanti seduti! Lasciamo che si esibiscano anche gli altri: mostriamo un briciolo di rispetto!».

L'autorità, però, non è il suo forte, e ormai il pubblico è in preda al delirio, con la gente che si accalca nel corridoio centrale per scoprire l'origine di tanta confusione.

I ragazzi delle luci hanno puntato alcuni fari verso la platea quando Boydy è sceso dal palco, ma non si può dire che la sala sia illuminata a giorno.

Nel frattempo, Jesmond Knight continua a sparare con la sua pistola ad acqua, come se fosse al centro di una vera battaglia, e qualcuno che è stato colpito dal fuoco incrociato decide di rispondere con l'acqua della sua bottiglietta. Me ne arriva addosso abbastanza da restare visibile alla folla che avanza lungo il corridoio.

Li sento che dicono: «Cos'è?» e: «Guarda... c'è una mano!», ma soprattutto: «Oddio!» e qualche altra espressione meno educata. In generale, però, nessuno è davvero sicuro di cosa ci sia davanti ai suoi occhi e un paio di persone esclamano: «Che meraviglia!» e: «Wow».

Riley Colman, che l'anno scorso ha vinto un premio in Fisica, dichiara ad alta voce, quasi avesse capito tutto: «Oh, per l'amor del cielo: è solo uno scherzo della luce!». (E ha ragione, ovviamente: la mia invisibilità, in sostanza, è "uno scherzo della luce".)

Precedo la folla di qualche metro. Se riesco a uscire

dal teatro e mi metto a correre, nessuno mi vedrà più, ne sono abbastanza sicura.

C'è una porta a due battenti in fondo alla sala, per aprirla bisogna spingere le barre metalliche.

Lo faccio, però mi fermo subito.

Fuori sta diluviando: avete presente, stile monsone. Un passo nella pioggia e sarò completamente visibile: la sagoma di un fantasma sotto l'acqua.

Mi volto e alle mie spalle c'è una decina di ragazzi.

Non sono nemmeno sicura di che cosa vedano. Qualche goccia d'acqua sul mio viso e sui capelli? Che aspetto avranno?

Dietro la piccola folla, scorgo Boydy, con il volto deformato dalla paura. E fa qualcosa di assolutamente geniale. Grida.

«Aaaah! Mi ha preso! È il fantasma di Jimi Hendrix arrivato a punirmi!»

Davvero geniale! Tutti si girano a guardarlo mentre agita le braccia, fingendo di essere sotto attacco, e scoppiano a ridere.

Colgo l'occasione per spostarmi lungo la parete in fondo al teatro. Mi sto togliendo l'acqua dalla faccia e dal resto del corpo, e sento che andrà tutto bene.

Ma poi Jesmond distoglie l'attenzione da Boydy e indica il pavimento.

«Impronte!»

Ho lasciato una scia di impronte bagnate, e portano dritte verso di me. Senza attendere oltre, scatto verso la porta del teatro e mi precipito nel corridoio della scuola.

Capitolo quarantatré

Mi guardo alle spalle e non vedo altre impronte bagnate: il gruppetto guidato da Jarrow Knight non sa più in che direzione sto andando. Si fermano sulla soglia, mentre sento il professor Parker e alcuni altri insegnanti che cercano di riportare l'ordine.

Apro la porta del bagno delle femmine prestando attenzione a non fare rumore.

Un paio di minuti più tardi sono asciutta, grazie all'asciugamani elettrico, e mi sono controllata da capo a piedi nel grande specchio del bagno.

Sono di nuovo invisibile, ogni singolo centimetro. Sto valutando il da farsi, quando la porta del bagno si spalanca colpendomi in piena faccia, *forte*.

Mi lascio sfuggire un gemito di dolore e crollo a terra, coprendomi il volto con le mani, mentre fanno il loro ingresso tre ragazze.

Mi acquatto sul pavimento, tenendomi il naso, e non capisco chi dice cosa. È davvero difficile non lamentarsi per il dolore.

«Oh, scusa, non... Ehi? Avete sentito? Cos'era? Hai

colpito qualcosa? Ho sentito una voce... Jarrow, tu non hai appena gridato, vero?»

«Questa situazione è assurda» risponde lei.

Sento il sangue che mi riempie il naso e poi sgorga fuori all'improvviso. Tolgo le mani appena in tempo e piego la testa in avanti in modo che il sangue non finisca sulla pelle. Il lungo schizzo cremisi diventa visibile non appena atterra sul pavimento, formando una pozzanghera rossa che si allarga sulle mattonelle bianche. Sembra inquietante persino a me, eppure so di cosa si tratta, e peraltro sono distratta dal dolore.

La prima a notarlo è la ragazza che si chiama Gemma.

«Oddio. Jarrow, guarda. Sangue!»

«Bleah! Da dove arriva?»

Non riesco nemmeno ad alzare lo sguardo, perché alzare lo sguardo comporterebbe sollevare la testa e il sangue mi scorrerebbe sul viso, così sono bloccata in questa stramba posizione accovacciata. Dalla pozzanghera si forma un piccolo fiume che scorre nelle fughe tra le mattonelle, avvicinandosi lentamente ai piedi delle ragazze.

«Ce n'è ancora, Gemma. Oddio. Che schifo. Sembra che qualcuno... Oh mamma! Vado a chiamare la signora McDonald.»

Due di loro escono subito dal bagno.

Dalle scarpe capisco che hanno lasciato indietro Jarrow. I suoi piedi si muovono, tentano di sferrare un calcio verso di me. Vuole vedere... che cosa? Non lo so. Ma sta diventando troppo curiosa.

188

Ha funzionato con Aramynta Fell, quindi potrebbe funzionare di nuovo.

Apro la bocca per emettere un altro verso gorgogliante. Con il sangue nel naso gorgoglia ancora di più, e un sottile spruzzo rosso, con qualche goccia più grossa, atterra sulle scarpe di Jarrow.

Obiettivo raggiunto. Grida e corre fuori, calpestando la pozza di sangue e lasciando impronte rosse sul pavimento.

Sento una musica house martellante che si diffonde dall'impianto stereo del teatro, un microfono che gracchia e il professor Parker che continua a urlare: «Ordine! Vi prego, almeno un po' di ordine».

Io me ne sto accucciata immobile, gemendo in silenzio con il naso che pulsa per il male e le lacrime di dolore che mi pizzicano gli occhi.

In quel momento sento un formicolio sulla pelle, e un principio di mal di testa.

Sta passando.

Presto sarò nuda. Nel cuore della scuola.

Solo che questa volta sarò completamente, al cento per cento, visibile.

Capitolo quarantaquattro

Non ho molta scelta, vero?

A quanto pare non è il momento migliore per girare svestita a scuola, visto che quando apro la porta del bagno delle femmine, la campanella suona e da una decina di aule si riversano in corridoio gli studenti, insieme al pubblico del talent show.

Ho due possibilità: tornare verso il laboratorio di Arti performative, oppure proseguire lungo il corridoio fino al grande salone d'ingresso con le pareti di vetro, che si sta già riempiendo.

Valuto di chiudermi dentro un bagno e aspettare il cambio dell'ora, ma il pizzicore sulla pelle è sempre più forte e – stando alla mia esperienza – mi restano solo cinque minuti per raggiungere il cespuglio di rododendro e recuperare i miei vestiti.

Mi controllo un'ultima volta allo specchio, e mi tolgo una crosticina di sangue dal naso.

Nemmeno una macchia, mi dico, e poi – nonostante l'agitazione – sorrido. Perché è così che sono: tanto pulita da essere trasparente.

Esco dal bagno appena prima che facciano il loro ingresso quattro ragazze di quinta elementare, e così evito per un soffio una seconda collisione.

Da qui in avanti è tutta una corsa contro la folla e la mia invisibilità che sta per scadere.

Avanzo lungo il corridoio, schivando la gente e facendo lo slalom tra la massa di corpi. Vado a sbattere contro altri ragazzi; urto gli zaini. Alcuni si voltano ed esclamano: «Ehi! Attento!», ma c'è abbastanza confusione perché nessuno possa essere certo di chi l'abbia colpito.

Nel salone d'ingresso la pioggia batte forte sul tetto di vetro e sento che torna a galla la solita vecchia paura, che in questo momento rasenta il panico.

Smettila, Ethel. Non ora, non ora, mi dico.

Mi nascondo dietro una grossa felce in vaso, dove mi sento abbastanza fuori pericolo, e traggo dei profondi respiri, affondandomi le unghie nei palmi finché non provo dolore, cosa che mi distrae dalla paura.

Ho bisogno che qualcuno apra la porta, per poter sgusciare fuori. Il problema è che nessuno sembra intenzionato a farlo. Perché dovrebbero? Piove a dirotto.

La testa mi pulsa, sento un milione di formiche che camminano sottopelle. E...

Oh no.

No, no, no.

Se guardo da vicino la mano, riesco a vederne la forma.

Un minuto? Meno? Poi mi troverò a vivere l'incubo più ricorrente del mondo: sarò nuda in pubblico.

Deglutisco. Faccio un profondo respiro e poi...

Via. Di. Corsa.

Raggiungo in un baleno la porta laterale e la apro con una spinta. Ho l'impressione che centinaia di occhi si voltino al rumore della porta che si apre da sola facendo entrare uno scroscio d'acqua.

Qualcuno dice: «E quello cos'è? Guardate!».

Sono uscita e sto correndo sotto la pioggia.

Riesco a vedere le gocce che mi colpiscono le braccia e le gambe, delineando una sagoma semitrasparente che muta forma a ogni movimento.

Una ventina di metri più in là c'è il laboratorio di Scienze: devo superarlo per sottrarmi alla vista dei ragazzi radunati nell'ingresso della scuola. Prima di svoltare l'angolo, mi guardo alle spalle: molti hanno il viso incollato alla parete di vetro e qualcuno è uscito per osservare meglio la mia sagoma spettrale che si muove nella pioggia.

Supero il laboratorio e procedo verso il cancello principale. È chiuso.

Non ho alternative e lo apro con l'impronta del pollice: affronterò più tardi le conseguenze di questo gesto, qualunque esse siano.

Vedo il mio pollice trasparente premere sul sensore. Il cancello si apre e lo supero, sgusciando sotto le foglie del rododendro verso la salvezza.

Sono stremata e crollo a terra, mi sdraio di schiena tra le foglie secche e i mozziconi di sigaretta. Fatico a respirare, il cervello sembra sul punto di esplodere e strizzo gli occhi prima di voltarmi e vomitare.

Poi mi siedo e abbasso lo sguardo.

Abbasso lo sguardo su di me. Sono qui; sono tornata. C'è la mia coscia. La mano. Chiudo gli occhi e tutto diventa nero, come dev'essere.

Sono visibile.

Recupero il sacchetto di plastica da dove l'avevo lasciato, mi vesto e aspetto sotto il rododendro gocciolante, appoggiata a un palo, finché non smette di piovere.

Capitolo quarantacinque

Torno a casa prima che arrivi la nonna e indosso l'uniforme di scuola come se fosse un giorno normale.

Un giorno normale? Ah ah!

Arriva un messaggio da Boydy.

È stato STREPITOSO! Vieni da me stasera? Cucino io.

A quanto pare mi ha perdonato. Oltretutto sono curiosissima di vedere com'è la casa in cui abita Boydy.

Il tè con la nonna di questo pomeriggio è un'esperienza non poco tesa, soprattutto perché muoio dalla voglia di raccontarle che cosa mi è successo oggi ma – chiaramente – non posso.

«Stai bene, Ethel?» mi chiede più di una volta.

«Sì, grazie, nonna. Sono solo stanca.»

Questo, almeno, è vero. Sono esausta. In quanto al resto, però, mi sento bene. Continuo a controllare il mio corpo ogni volta che passo davanti a uno specchio, per essere certa che sia tutto a posto. Sembra incredibile, eppure riesco a gestire l'invisibilità senza effetti collaterali, solo un po' di nausea alla fine.

E soprattutto, la mia pelle è migliorata ancora. Ho solo un leggero sfogo sul mento. Sorrido a me stessa nello specchio. La nonna se ne accorge mentre mi passa accanto.

«Vanità, Ethel, amore mio. Non ti fa bene troppo tempo davanti allo specchio.»

«Hai visto, nonna? La mia pelle?»

«Te l'avevo detto che con il tempo sarebbe passato tutto, tesoro.»

Stasera esce: un altro incontro, un altro comitato. O almeno così dice. Inizio a farmi qualche domanda.

Ci si trucca per la riunione di un comitato? Be', se sei una ragazzina, immagino di no. Ma un adulto? Soprattutto se sei come la nonna, che non si trucca spesso.

E poi non lo fa in camera sua. Mi saluta, mi dà appuntamento a più tardi, sale in macchina e, dalla finestra della mia stanza, vedo che sistema lo specchietto retrovisore per mettersi il fard, il rossetto e il mascara. Poi accende il motore e parte.

Mesi fa, quando ho ricevuto il mio primo smartphone per Natale, la nonna ha insistito perché installassimo una app di tracciamento: «Solo per sicurezza, tesoro».

Sono abbastanza sicura che non abbia capito che il tracciamento è reciproco.

Stasera è la prima volta che lo uso. Scoprirò dove sta andando la nonna.

Capitolo quarantasei

Non so che cosa mi aspettassi. Forse è stato il soprannome Fetor Boy a farmi immaginare che avesse una casa orribile, invece...

La casa di Boydy è normale da ogni punto di vista. È molto più piccola di quanto pensassi, tenuto conto che suo padre è un avvocato, però normale. Con uno strano profumo di candele.

«Scusa per la puzza» dice con naturalezza, come se non cogliesse l'ironia della cosa. «La mamma ha un cliente.»

Mi spiega che sua madre è una terapeuta di reiki e riflessologia, due cose di cui non so nulla, ma suppongo richiedano candele profumate e canti di balena in sottofondo: si sentono in ogni angolo della casa.

Il papà di Boydy si fa vedere poco. Non l'ho mai incontrato. Chiedo a Boydy come mai non c'è e lui mi dà una risposta sbrigativa.

«È via. Lavora spesso fuori casa. Mi passi il coltello, Eff?»

Boydy ai fornelli è un vero fenomeno, così mi siedo

al bancone della cucina per guardarlo mentre sminuzza e frigge. Sua madre è vegana, perciò lui ha imparato a cucinare da solo, altrimenti dice che morirebbe di fame.

Gli ha messo il veto sulla carne, ma tollera il pesce, e così è questo che mangiamo. Non capisco la differenza tra carne e pesce. Voglio dire, se non vuoi uccidere nessuna creatura vivente, ci sta, ma come la mettiamo con il povero pesce che boccheggia nella rete per la pesca a strascico? Non lo dico, ovviamente.

Comunque, Boydy sta sminuzzando le verdure per un piatto di gamberoni saltati in padella e le sue mani sono abili e veloci, come quelle di Jamie Oliver in televisione.

«Avresti dovuto vederlo!» esclama con entusiasmo quando ci mettiamo a parlare del talent show, cosa che succede dopo pochi secondi.

«Ho visto tutto. Ero lì!»

Nel caso ve lo stiate chiedendo, Boydy non ha vinto. Lo so: sembra una follia. Il miglior numero di magia di tutti i tempi, eppure *non ha vinto*.

«Ho ammesso che non ero io a suonare la chitarra, sarà per questo.»

«Tu... cosa?»

Temo la risposta: ha rivelato il nostro segreto?

«Stavano delirando. Parlavano di fantasmi. Il professor Parker era sconvolto: la sala era impazzita. Sul serio, Eff, ho creduto che mi avrebbero bruciato sul rogo.»

Ho pensato al gruppo di ragazzi che avanzava ver

so di me, e al caos della sala. Di sicuro non era stata un'esibizione disciplinata, se è questo che volevano i giurati.

«Il professor Parker mi ha preso in disparte e ha detto: "Boyd, apprezzo la teatralità della tua esibizione, e la preparazione necessaria per metterla in scena…".»

Sono scoppiata a ridere, perché era un'imitazione perfetta.

Incoraggiato dalla mia reazione, Boydy prosegue: «"La lenza invisibile che hai utilizzato per far levitare la chitarra è stata una mossa *scaltra*, ma non avevi lo strumento tra le mani, quindi ne deduco che la musica abbia richiesto qualche altro *espediente*. O sbaglio?"».

«Ha creduto che la musica fosse in playback?»

«Esatto. Ma cosa potevo inventarmi? "No, professor Parker. È stata Ethel Leatherhead, solo che era invisibile"? Ho detto che avevo una registrazione sul telefono e che l'ho fissato con la colla nella cassa della chitarra.»

«E lui ti ha creduto?»

«Il rasoio di Occam, Eff, il rasoio di Occam.»

Lo guardo perplessa.

Ma lui procede dritto come un treno, mentre versa nel wok verdure e gamberoni.

«Il rasoio di Occam. È filosofia, chiaro? Quando escludi l'impossibile, quello che rimane, per quanto improbabile, dev'essere la verità.»

«E cosa c'entra il rasoio?»

«Non saprei» risponde, mescolando con abilità e aggiungendo altri ingredienti con un cucchiaio. «Non lo ha detto. Ne parlava Spock in *Star Trek VI: Rotta verso l'ignoto*, citando Sherlock Holmes.»

«E chi sarebbe questo Occam?»

«Non importa. Il fatto è questo: dal punto di vista del professor Parker, l'unica spiegazione possibile per quello che ha visto erano un filo ultrasottile e una traccia registrata dentro la chitarra. Di conseguenza, visto che doveva essere un'esibizione musicale, sono stato squalificato.»

«Un vero schifo.»

Sono arrabbiata, perché hanno negato a Boydy un premio che gli spettava di diritto, ma lui non sembra infastidito.

Alza le spalle. «Che roba. Ne è valsa la pena anche soltanto per vedere la faccia di Jesmond Knight quando mi ha sparato l'acqua e invece ha colpito te. È stato come se avessi un campo di forza a proteggermi! Avrai fame, spero.»

Devo complimentarmi con Boydy: i suoi gamberoni saltati in padella hanno un profumo delizioso e io ho una fame da lupi.

Tra un boccone e l'altro, gli chiedo: «Del resto cosa mi racconti? Hai detto che la scuola era un delirio».

A quanto pare circolano tre storie di fantasmi, ciascuna con i propri testimoni, ma nessuna è abbastanza solida da essere davvero credibile.

Quelli che mi hanno scorto in mezzo alla platea, quando sono stata bagnata, stanno ancora discutendo di cosa hanno visto, e comunque Riley Colman – il patito della fisica – ha convinto metà della sala che era tutto parte del numero di magia di Boydy; cosa che lui si guarda bene dal negare.

Le ragazze che mi hanno visto schizzare sangue in bagno non sono considerate testimoni affidabili. Quando racconti che è comparsa una macchia di sangue sul pavimento, nessuno ti crede; come ha potuto verificare Katie Pelling. Qualcuno avrà perso sangue dal naso. Che c'è di strano?

A quanto pare Aramynta Fell non ha detto nulla del nostro incontro fuori dal laboratorio di Arti performative.

E così resta solo la mia corsa sotto la pioggia fuori dall'ingresso della scuola, che è stata vista da qualche decina di persone, più o meno.

Boydy agita la forchetta come se non fosse importante, e manda giù un grosso boccone.

«Certo certo certo... ma cosa hanno visto? Cosa hanno visto davvero, eh, me lo dici? Una forma? Un turbinio di gocce mosso da una raffica di vento? Secondo una delle storie che ho sentito, era il fantasma di un ragazzo annegato a Culvercot Bay, tipo trent'anni fa.»

«Sul serio? Ma è vero?»

«Pare di sì. Almeno secondo Dalton MacFadyen: suo padre frequentava la scuola all'epoca. Il fatto è che mica lo sanno cosa è successo. Non con certezza. E quindi può essere vero tutto o non essere vero un bel niente. Se devo fare una previsione, è solo questione di tempo e finirà tutto nel dimenticatoio: il tuo segreto è al sicuro.»

Proprio in quel momento gli vibra il cellulare, appoggiato sul tavolo. Boydy lo guarda e scorre rapidamente il messaggio in arrivo.

Cambia espressione.

«Ecco. Forse non proprio così al sicuro.»

Ciao. Vi stiamo addosso, a te e alla tua assistente invisibile. Mlt furbi. Volete tenere tt segreto. Questo video xò potrebbe girare. Sarete famosi! Per il momento è sul mio cell. Se volete che ci resti, venite stase alle 8, sotto il palco per l'orchestra. J&J

Boydy e io ci scambiamo un'occhiata. Jarrow e Jesmond. Chi altri?

Poi guardiamo l'orologio.

Sono le 19.45.

Capitolo quarantasette

Anche se è giugno e ha smesso di piovere, sul lungomare di Whitley Bay c'è una tale desolazione che sembra perennemente febbraio. Forse è per via degli alberghi con le porte sbarrate, che hanno un passato glorioso ma che ora mi ricordano gli anziani che abitano con la bisnonna: decadenti e poco amati.

O forse è solo il mio umore.

Perché, mi chiedo furibonda, *i due gemelli devono sempre mettersi in mezzo?*

La pioggia ha lasciato spazio a una serata fresca e limpida, e i gabbiani tacciono. Un sole debole comincia a tramontare alle nostre spalle, tingendo di rosa il faro.

Andiamo verso i Links. Proprio nel mezzo c'è un vecchio palco per orchestre con la vernice scrostata.

Jesmond e Jarrow sono già lì, e ci osservano mentre camminiamo verso di loro.

«Allora... che cosa gli diciamo?» sussurro a Boydy, che ostenta una strana calma, dandomi sui nervi.

«Rilassati, Eff. Neghiamo tutto. Mica ce le hanno, le prove.»

«Hanno un video: lo hanno detto nel messaggio» ribatto.

«Già, certo, ma se anche ce l'hanno, non si vedrà niente, non ti pare?»

«Mmm...» Ripenso a Jarrow che filmava con il suo cellulare. Non sono ottimista come Boydy. «Allora qual è il piano?»

«Smascheriamo il bluff e li mandiamo al diavolo.»

«Potevamo farlo con un messaggio. Perché stiamo andando all'appuntamento?»

«Be', vogliamo scoprire cos'hanno in mano di preciso, no? Non si sa mai. Valutare le prove prima di esprimere il verdetto, eccetera eccetera.»

Adesso siamo a pochi metri dal palco.

«Lascia parlare me» dice Boydy.

«Non rompere. Se ne ho voglia, parlo.»

«Ok, Eff, mi pare giusto.»

Saliamo sul palco, dove ci aspettano i gemelli. Se non fossi così tesa, giuro che mi verrebbe da ridere. Stanno lì a gambe divaricate e braccia conserte, come se fossero i cattivi in un film di James Bond.

Ci rivolgono un brusco cenno di saluto.

«'Sera, Jarrow. Tutto bene, Jesmond?» risponde Boydy.

«Tutto apposto, Boyd, Ethel» dice Jesmond. (Che è il maschio. Non preoccupatevi, li confondo anch'io tutte le volte. E tra l'altro... lo hanno chiamato Boyd? Vogliono proprio intimidirci. Nessuno chiama Elliot per cognome; di sicuro non senza aggiungere la Y finale, e anche quello lo faccio solo io.)

Raddrizzo la schiena: non ho intenzione di farmi intimidire.

Jarrow aggiunge: «Bello rivederti, Ethel. Voglio dire, *tutta intera*».

Non rispondo. Sembra una buona strategia: dire il meno possibile per non svelare niente.

Attorno al palco ci sono delle panchine di legno tappezzate di graffiti, con sotto una montagna di rifiuti.

Ci sediamo, mentre Jarrow riprende a parlare.

«Ora mi torna tutto, sapete? Quasi tutto, ecco. Il giorno in cui t'abbiamo recuperato il cane, ci siamo accorti di una roba strana. Vero, Jez?»

Jesmond annuisce.

Jarrow batte le palpebre dietro gli occhiali. «Tipo che non riuscivamo a vederti la mano, ecco.»

Abbasso lo sguardo sulle mani e le rigiro davanti a me, come a dire: "Che cos'hanno che non va?".

Jarrow mi ignora. «E poi oggi, al Super Show per Esibizionisti. Quel giochetto con la chitarra. Una lenza? Direi proprio di no. Di lenze ne so parecchio, credetemi, e al mondo non ce ne stanno proprio di abbastanza sottili e forti da tenere su tutta quella roba.»

Mi volto verso Boydy, e ci scambiamo un'occhiata. Si sta mordendo il labbro inferiore.

«E comunque» prosegue lei, «vi abbiamo sentito. "Prendila, Boydy!" Era decisamente la tua voce, Ethel. Ho ripreso tutto!»

È come se avessero fatto le prove. Quando Jarrow nomina il telefono, Jesmond lo tira fuori. Recupera al volo un video, e io mi protendo per riuscire a vederlo bene, con un crescente senso di nausea.

All'inizio mostra Boydy che cammina in mezzo al pubblico, con la chitarra che gli volteggia davanti. L'immagine è mossa, ma l'effetto resta strepitoso. Temevo che in qualche modo la videocamera "vedesse" quello che l'occhio umano non può cogliere – che registrasse la luce in modo leggermente diverso, rendendomi visibile – invece no.

Sono invisibile per la videocamera come lo ero nella vita reale.

Si sente un brusio nel pubblico, poi esplode il caos. Il pubblico spinge indietro le sedie, facendole cigolare; il professor Parker grida a tutti di sedersi. L'immagine ondeggia con violenza mentre Jesmond passa il telefono a Jarrow, e alla fine si assesta sulla figura di Boydy che si avvicina.

Ed ecco l'acqua.

Per un breve istante, dopo che mi ha colpito, il liquido rende visibile metà del mio volto, poi scorre via e si disperde. È tutto molto confuso, non si capisce cosa sia. Inizio a pensare che mi sto preoccupando per niente.

E poi la mia voce: «Prendila, Boydy!». Devo averlo detto molto vicino al microfono del cellulare perché si sente forte e chiaro. Purtroppo sono io, senza ombra di dubbio, però che importa?

La scena cambia. Sono solo pochi secondi girati nell'ingresso della scuola durante l'acquazzone. Si sente qualcuno dire: «Laggiù! L'hai filmato?», e poi una forma vaga e indistinta che si allontana e sparisce dietro l'angolo, ma è difficile capire cosa sia.

Mi preparo a fare un sorrisetto, quasi un ghigno. Ho intenzione di voltarmi verso i gemelli e dire: "Tutto qui? È il meglio che sapete fare? Non dimostra nulla, se non che siete due matti che si immaginano persone invisibili. Avete anche un video sui leprocauni? Che sfigati!". O qualcosa del genere.

Il sorrisetto, però, mi muore sulle labbra.

Perché il video è ripartito, in slow motion. Nel punto in cui l'acqua mi colpisce il viso, rallenta ancora di più, scorre fotogramma per fotogramma. E così diventa chiaro. Inequivocabile, direi. Il mio viso, almeno per metà, viene delineato dall'acqua.

È solo per pochi fotogrammi. A velocità normale non si vedrebbe nulla, ma al rallentatore non ci sono dubbi.

Il secondo filmato, quello sotto la pioggia, ingrandito e rallentato, svela ancora di più.

Eccomi lì. Sono quasi del tutto trasparente, ma la pioggia torrenziale segna il mio profilo mentre corro verso il cancello della scuola. Decisamente una persona. Nuda e per metà invisibile.

Sono io, punto e basta.

Il video si conclude così e Jesmond rimette il cellulare in tasca.

«Sei tu, vero?» domanda, e adesso è lui che ha un sorrisetto sulle labbra.

Boydy e io ci scambiamo un'occhiata, ma non diciamo una parola.

«È inutile negarlo. Si capisce che sei tu. Dal modo in cui corri. E poi è stata la tua impronta ad aprire il cancello della scuola.»

Boydy passa all'attacco. «Quante stupidaggini! Non sapete un bel niente. Come fate a dire che era la sua impronta?»

Si intromette Jarrow: «Un gioco da ragazzi, basta avere una certa influenza su Stuart, l'Uomo della Sicurezza. Potere persuasivo, se capisci cosa intendo».

Il vecchio Stuart Hibbert è la guardia di sicurezza notturna. Un tipo simpatico che ci aiuta anche ad attraversare la strada all'incrocio trafficato che c'è dietro la scuola.

«Il vecchio Stuart? E cosa avrebbe fatto?»

«Non sta a noi svelarlo, vero, Jez?» risponde Jarrow. «Ma diciamo che cinquanta sterline valgono parecchio quando sei una guardia di sicurezza con il salario minimo.»

«Lo avete corrotto?»

Non credo alle mie orecchie. I gemelli Knight hanno pagato il guardiano notturno della scuola per farsi dare informazioni riservate.

Restiamo tutti e quattro in silenzio, l'unico suono è il sibilo del traffico sulla strada che fa a gara con il mare sulla battigia.

Il primo a parlare è Jesmond Knight. «Lo ammetto: non abbiamo idea di cosa stia succedendo davvero. Tu però» e mi punta contro un dito, «c'hai il potere dell'invisibilità. È un incantesimo? Un vestito che ti metti? Un segreto militare? Non saprei. Ma ci scommetto che è una roba top secret, e che deve restarlo. Altrimenti ne avremmo sentito parlare.»

Mentre lo dice, lo guardo di traverso. Ci ha più o meno azzeccato, e sono terrorizzata.

«Ecco l'accordo» spiega Jarrow. Fa una lunga pausa e si toglie gli occhiali per pulirli con un fazzoletto, lasciandoci lì in attesa. Alla fine dice: «Adesso sta sul telefono di Jez. E ci resterà se vi comportate bene. O forse dovrei dire, se *pagate* bene».

«Pagare?» dice Boydy.

«Esatto. Direi che un migliaio di sterline fanno al caso nostro, giusto, Jez? Potete farcela, se pagate a rate.»

Mi sento male. Non sono solo sconvolta: sto davvero male, come se mi venisse da vomitare.

Mille sterline. Dove le trovo?

«Sei matta» dico alla fine. «Non so dove prenderla una cifra del genere. È impossibile.»

Sono furibonda, ma anche spaventata, per non dire completamente sbalordita. È un vero e proprio ricatto. Niente a che vedere con un furto di caramelle al parcheggio delle biciclette: questa è una cosa da veri criminali.

«Non stiamo negoziando. Lo capisci, vero, Signorina Invisibile? Non contrattiamo nulla.»

«Non posso farcela.»

Lui alza le spalle. «Un video del genere può diventare virale in un secondo. Un paio di chiamate all'*Evening Chronicle* e il gioco è fatto. *Il segreto della ragazza che diventava invisibile*. Farlo girare su YouTube non è un problema. C'avrai i giornalisti accampati fuori di casa. Sarai come Violetta degli *Incredibili*, solo che nella vita vera. E sarà così per sempre, Ethel. Non te lo levi più di dosso.»

«Andate al diavolo.»

Le parole mi escono di bocca, ma mi inciampano in gola, con mio grande fastidio. I gemelli Knight si stanno approfittando della mia paura più grande. Hanno scoperto che non sopporterei di essere famosa a quel modo, e stanno sfruttando il mio punto debole.

«Come preferisci.» Jesmond prende il telefono e borbotta qualcosa, mentre picchietta sullo schermo. «Allora... carichiamo il video... ecco, si sta preparando all'upload...»

«Fermo!»

E lui si ferma, lasciando il dito sospeso sopra il display: sembra il ritratto dell'innocenza. «Sì? Cosa c'è?»

«Dateci tempo. Il tempo di pensare.»

I gemelli si guardano e annuiscono. Jesmond mette via il telefono.

«D'accordo. Vi diamo tre giorni. Ci si vede, allora. Be', non con te, questo è chiaro» aggiunge, indicandomi. «Non se torni invisibile.»

Senza più voltarsi, si allontanano a passo tranquillo, mentre ridono della battuta di Jesmond, lasciando me e Boydy in un silenzio stupefatto.

Capitolo quarantotto

Tornata a casa, mi metto il pigiama e ripercorro tutti gli eventi della serata mentre aspetto in soggiorno che rientri la nonna.

Dieci minuti fa, secondo FindU, era a Tynemouth, anche se è un po' tardi per andare dalla bisnonna. Le visite finiscono alle nove, e sono già le nove e mezza. Forse hanno lasciato che si fermasse un po' più a lungo.

Boydy e io non abbiamo parlato molto sulla strada di casa. In fondo c'era solo una cosa da dire: "Oddio, e adesso che cosa facciamo?". Ma sapevamo entrambi che l'altro non aveva la risposta pronta, quindi sarebbe stata una domanda inutile.

La mamma di Boydy era sveglia quando siamo arrivati, e Boydy ci ha presentate. È una tipa a posto, solo un po' eccentrica. Aveva le occhiaie e sembrava esausta. Mi ha rivolto un sorriso sdolcinato, a labbra strette, la testa inclinata di lato, e ha detto: «Hai un'aura adorabile».

«Ehm, grazie.» Non ho idea di cosa intendesse, ma sembrava una cosa gentile.

Poi, come inciso a Boydy, ha aggiunto: «Che modi adorabili. Visto, Elliot... poteva andarti molto peggio».

Anche questa volta non ho capito, però Boydy ha alzato gli occhi in segno di solidarietà verso di me.

L'ultima frase che ha detto sua madre è stata: «Vi lascio da soli...». E sono certa che ci fosse un sottinteso, come se in realtà avesse voluto aggiungere: "Vi lascio da soli, piccioncini", ma alla fine non ha osato.

La sola idea che Boydy e io possiamo essere una coppia mi è sembrata talmente assurda che sono quasi scoppiata a ridere.

Una volta che sua madre se n'è andata, ci siamo seduti l'uno di fronte all'altra con una tazza di tè e abbiamo studiato un piano d'azione.

A quanto pare andrò a casa dei gemelli Knight e ruberò il telefono di Jesmond.

Ci abbiamo messo un po' per arrivare a questa decisione, come forse immaginerete. Non ero entusiasta, e forse immaginerete pure questo. Ma non siamo riusciti a trovare un altro modo per evitare che mostrino il video a tutti.

In realtà mi sorprende che non sia ancora circolato a scuola, su YouTube, e che non sia stato visto a Tokyo o da qualche altra parte. Ma forse non tengo abbastanza in considerazione il fatto che i gemelli Knight vogliono aspettare per provare a ricavarci qualcosa. Quanto tempo siano disposti ad aspettare, però, è tutto da scoprire.

«Perfetto» ha detto Boydy, quando abbiamo completato il piano, facendo schioccare le labbra dopo aver bevuto un lungo sorso di tè. «Diventi invisibile, entri in casa loro e prendi il telefono. Un gioco da ragazzi.»

«Oh, certo. Un gioco da ragazzi. Peccato che non tocchi a te.»

Ci resta male. «Ti darò una mano.»

«Come?»

«Non lo so, di preciso. Sarò il tuo secondo.»

«Il tuo... che?»

«È un'espressione che usa mio padre. Penso che voglia dire aiutante.»

Non riesco proprio a immaginare come Boydy possa aiutarmi a mettere a segno un furto tanto complicato con le vittime in casa, però non lo dico. Invece sposto l'attenzione su un altro problema di cui mi sono resa conto.

«Quel filmato che ci hanno fatto vedere... qualcuno deve averci lavorato.»

Questo è poco ma sicuro: il rallentatore, l'ingrandimento, il montaggio di scene diverse.

«E allora?»

«Come si fa?»

«Non lo so. Con un programma di editing. iMovie o qualcosa di simile. Scarichi il video sul compu... Ah.»

«Proprio così, ah. Quel video non è solo sul cellulare di Jesmond Knight, vero? È sul suo portatile, sul computer di casa e chissà dove. Per quel che ne sappiamo, può averne fatto un backup su cloud.»

Boydy si è succhiato i denti. «Dovrai svuotare i computer. Resettarli. Cancellare tutti i dati.»

212

«E come ci riesco, Bill Gates? E se poi ce l'hanno, il backup?»

Ne abbiamo parlato per un'altra mezz'ora. Non tutti fanno il backup dei dati; la nonna, per esempio, non lo fa. Non saprebbe da che parte cominciare. Alcune persone lo fanno saltuariamente. Boydy si è organizzato così: ogni due o tre mesi archivia la musica, i film e i compiti che tiene sul portatile su un hard disk. Qualcuno pianifica i backup in automatico, per esempio con Time Machine sul Mac.

Altri ancora salvano tutto in automatico su cloud.

«Dobbiamo sperare che non abbiano un cloud» ha detto Boydy.

«Dobbiamo? Noi? Bello il plurale!» Non so perché ero così indignata.

«Sto cercando di aiutarti, Eff» ha detto Boydy, e sembrava triste. «Pensaci, per come conosci i gemelli Knight, secondo te è possibile che abbiano pianificato un backup automatico sul loro computer?»

Ci ho pensato per un istante, ed ero d'accordo con lui. Non era impossibile, ma nemmeno probabile.

È spaventoso, ma questo ha reso il furto una possibilità concreta.

Ancora più spaventoso: forse è l'unica possibilità che ci resta.

Capitolo quarantanove

Come se tutto questo non fosse abbastanza, quando la nonna torna a casa capisco che ha pianto.

Il mascara è sparito e ha gli occhi rossi, il che mi fa pensare che abbia sbavato il trucco con le lacrime, e che poi si sia pulita il viso.

Eccetto gli occhi rossi, però, è molto brava a nasconderlo.

«Stai bene, nonna? Sembri un po' scombussolata.»

Mi volta la schiena. «Scombussolata? No, no, no. Sto bene, tesoro. Sono solo un po' stanca, ecco tutto.»

Le tendo un tranello. «Come stava la bisnonna?»

Ma lei non ci casca.

«La bisnonna? L'ultima volta che l'ho vista, nel fine settimana, stava bene. Che cosa intendi?»

«Niente. Avevo capito che andavi a trovarla. Errore mio!»

La nonna sta trafficando con il bollitore, e da dove sono seduta non posso vedere che espressione ha sul viso.

«No. Sono stata a un incontro per il mercatino della

chiesa. Non finiva più. Metà del tempo abbiamo parlato del cane di Queenie Abercrombie.»

«Ok, non avevo capito un cavolo.»

«Non dire così, tesoro. È un po' grezzo.»

«Scusa, errore mio. Dov'era l'incontro?» Magari era a Tynemouth, dove FindU sosteneva che la nonna si trovasse poco fa.

«Oh cielo, siamo proprio curiose stasera! Era in canonica. Perché lo chiedi?»

Non a Tynemouth, allora. Sta mentendo.

«Così, nessuna ragione. Buonanotte, nonna.»

Vado a letto ma non riesco dormire; resto lì sdraiata, completamente sveglia. Fareste lo stesso anche voi con tutti i miei pensieri. Sento frugare in camera della nonna.

Non sono i soliti rumori di quando va a letto. È diverso. Sono tutti rumori che ho già sentito, ma non in quest'ordine.

Prima di tutto controlla camera mia per essere sicura che la luce sia spenta e che io stia dormendo. In realtà non dormo. Sono sdraiata al buio, ma questo sembra bastarle.

Poi sento un cigolio e un leggero suono metallico. È la scala a libro che tiene nell'armadio a incasso sul pianerottolo insieme all'aspirapolvere e alle decorazioni di Natale.

Torna di soppiatto in camera sua, facendo scricchiolare le assi del pavimento.

Sento la chiave che scatta nella porta. Perché diavolo

si chiude dentro? L'unica ragione possibile è impedire che io entri in camera sua durante la notte.

Cosa che non succede praticamente mai; qualsiasi cosa stia facendo dev'essere così top secret che non può correre il minimo rischio e perciò si chiude a chiave.

Devo dire che questo cattura tutta la mia attenzione. Mi alzo subito e appoggio l'orecchio alla porta di camera mia.

Di solito prende la scala solo se deve recuperare qualcosa da uno degli armadietti più in alto. E infatti sento che ne apre uno e…

Nient'altro.

Sento un po' di tramestio e qualche passo dentro la stanza, poi la nonna riporta la scala sul pianerottolo.

Scende il silenzio, e alla fine crollo addormentata.

Mi sveglio un'ora dopo, stando all'orologio del telefono.

Ho una sete feroce e vado in bagno a bere. Da sotto la porta della nonna esce un filo di luce, ma quando ci passo davanti la spegne subito.

Insomma, che cosa sta succedendo?

Capitolo cinquanta

Fino a poco tempo fa, non avrei mai detto che la nonna potesse avere dei segreti.

Ma è anche vero che crede molto nell'importanza della discrezione, e dice che nessuno dovrebbe "dare spettacolo".

Dare spettacolo, nel mondo della nonna, è uno dei più gravi misfatti di cui si possa macchiare una persona. Insieme a "darsi delle arie", "pretendere attenzione" e "fare scenate".

Crescendo con lei, sono sempre stata incoraggiata a non attirare l'attenzione.

Anche le cose che fanno i bambini – la ruota, i balletti, i salti dagli sgabelli – mi procuravano sempre una bella sgridata.

Una volta, a dire il vero, sono caduta e ho spaventato molto la nonna. Avevo circa sei anni, credo, e il consiglio comunale aveva installato nel parco un nuovo gioco sul quale arrampicarsi.

Per una bambina minuta di sei anni, era davvero enorme. C'era anche un cartello che vietava l'ingresso ai bambini sotto gli otto anni, ma tutti lo ignoravano, la nonna compresa.

Mentre io giocavo, lei stava sempre seduta a leggere un libro, con Lady sdraiata sotto la panchina. Il giorno in cui è successo c'erano altre due bambine che conoscevo, e ci sfidammo a salire in cima, fino a una piccola pedana.

Quando le mie amiche furono richiamate giù dalle loro mamme, io ero a metà strada e, non appena arrivai in cima, loro erano già scese. Stavano raggiungendo le loro mamme, che erano vicine all'uscita del parco, così gridai: «Amy! AMY! Ollie! Guardatemi! Nonna! GUARDAMI!».

Mi sbracciavo e urlavo, e vedevo altra gente che si voltava, però Amy e Ollie non mi avevano ancora notato e la nonna si guardava attorno, perché aveva sentito la mia voce ma non riusciva a immaginare che fossi salita tanto in alto.

«SONO QUASSÙ!» gridavo. «GUARDATEMI! CE L'HO FATTA!»

Fu allora che caddi a terra. Mi scivolò il piede, e mi ribaltai. Colpii una sbarra con la testa e poi una rete di corda, e questo per fortuna attutì l'impatto, ma lo schianto fu comunque tale da mettermi fuori gioco per alcuni secondi. Sotto la struttura c'era un pavimento di gomma morbida: mi slogai il polso, ma immagino che sarebbe potuta andare molto peggio.

Quando mi ripresi, c'era una decina di persone lì attorno, alcune in piedi, altre chine o in ginocchio. La nonna mi teneva la testa tra le braccia e continuava a ripetere: «Non di nuovo. Per favore, Dio, fa' che non succeda di nuovo», il che – all'epoca – mi era parso un po' bizzarro.

Rimasi lì sdraiata ancora un po' – più di quanto avrei voluto, in realtà –, ma il custode del parco doveva farmi un sacco di domande che probabilmente aveva imparato al corso di formazione per custodi di parchi pubblici. Voleva sapere cose del tipo se respiravo bene, o se avevo la vista annebbiata.

Io desideravo solo alzarmi e andare a casa a piangere per il mio polso slogato.

Alla fine la folla si disperse e restammo solo io, Lady, la nonna e il custode. Non c'era sangue e la nonna voleva portarmi a casa per mettermi il ghiaccio sul polso.

Mentre eravamo per strada, le chiesi: «Che cosa intendevi? Quando hai detto "fa' che non succeda di nuovo"?».

Immagino di averla presa un po' alla sprovvista, ripensandoci ora, ma è passato tanto tempo.

Rispose solo: «Nulla, tesoro. Niente di particolare. Mi preoccupo solo per te, tutto qui».

Anche allora mi era parso strano. Tanto strano che lo ricordo ancora con una certa chiarezza.

Quella frase, e anche le parole che seguirono un istante dopo: «La gente guarda solo quando cadi».

Capitolo cinquantuno

Il mattino dopo, quando ci svegliamo, la nonna è tutta lattemiele, sorride e sprizza energia. Come se non fosse successo nulla.

Inizio a pensare di aver immaginato tutto: le stranezze degli ultimi giorni e settimane, e persino tutto quel rovistare di stanotte in camera sua.

Per la scuola sono ancora "malata", come ricorderete, ma scendo al piano di sotto con la mia uniforme.

La nonna esce per prima, lasciando a me l'incarico di chiudere casa e portare Lady dalla dog-sitter. (Mi sfiora il pensiero che potrei intascare le dieci sterline, e sono sul punto di farlo quando la mia coscienza si fa sentire e mi ricorda che sono già al centro di una ragnatela di inganni. Non me ne servono altri. Oltretutto verrei scoperta.)

Così lascio Lady alla dog-sitter, alla solita ora, ma invece di proseguire verso la scuola torno sui miei passi, e prima ancora che suoni la campanella sono di nuovo a casa in camera della nonna, a fissare i ripiani più in alto.

La sua stanza è di gran lunga la più pulita e ordinata della casa, probabilmente perché non ci entro mai. È tutto al suo posto: non ci sono camicette abbandonate sulla spalliera della sedia, niente calze spaiate né libri sul pavimento. Sulla toeletta ci sono una spazzola con il retro d'argento e una scatola di legno intagliata con il coperchio, piena di spiccioli. È tutto blu o grigio. Il tappeto è grigio, il copriletto è a strisce blu, i cuscini sono blu e bianchi, le tende sono grigie, bianche e blu. C'è un buon odore, un misto del profumo e del deodorante della nonna.

Lungo una parete c'è un armadio a muro, con una fila di armadietti che arrivano fino al soffitto.

Prendo la scala a libro dal pianerottolo. Ha solo tre gradini. Anche quando salgo su quello più alto devo comunque mettermi in punta di piedi per riuscire a vedere cosa c'è dentro l'armadietto. Contiene più o meno quello che mi aspettavo: coperte, un piumone di scorta, un giubbotto imbottito comprato dalla nonna, indossato una volta e poi, dopo che ha visto in televisione qualcuno che ne portava uno simile, mai più usato.

Il secondo armadietto è vuoto. Nel terzo ci sono altre lenzuola e una scatola di cartone con i miei vecchi albi illustrati di quando ero piccola; così trascorro una mezz'ora felice a sfogliarli, ricordando quando la nonna me li leggeva. (Una volta aveva detto che voleva donarli al mercatino della parrocchia, ma è passato un secolo e immagino che se ne sia dimenticata.)

L'ultimo armadietto è per le cianfrusaglie. Ci sono

una macchina per cucire che non è mai stata usata, una scatola di vecchi abiti e un grazioso vaso d'ottone con incise delle decorazioni.

Tutto qui.

Stanotte la nonna stava riguardando i miei vecchi albi illustrati? Mi pare poco probabile.

Frustrata, risalgo sulla scala e metto a posto la scatola dei libri, compito che vista la mia scarsa altezza non è certo facile. Mentre sollevo la scatola, questa si inclina e qualche libro scivola fuori cadendo a terra, così devo scendere e appoggiare di nuovo la scatola sul pavimento per raccoglierli.

Uno degli albi è finito sul tappeto, sotto il letto della nonna, così m'inginocchio per recuperarlo.

Ed è allora che la vedo.

Una scatola di latta. Capisco subito che è quello che sto cercando. Non chiedetemi come faccio a saperlo. Non lo so nemmeno io. Eppure non ho dubbi.

La nonna deve averla presa da uno degli armadietti per riporla sotto il letto... perché lo abbia fatto, non mi è chiaro. Forse per averla a portata di mano?

La prendo. È abbastanza grande: ha più o meno le dimensioni di un vassoio da tè, ed è profonda circa sei centimetri.

È chiusa a chiave. Certo. Non poteva essere altrimenti.

Il coperchio è bloccato da un chiavistello a scatto con combinazione, e quando lo vedo sento il cuore che mi precipita in petto. Se ci fosse stata una serratura, avrei potuto cercare la chiave, ma non c'è.

Come faccio a indovinare la combinazione? È di quattro cifre.

Provo le più scontate: l'anno della mia nascita, l'anno della nascita della nonna, poi riscrivo gli stessi numeri partendo dalla fine, per essere sicura di non aver sbagliato qualcosa. Le ultime quattro cifre del numero di cellulare della nonna. Le prime quattro cifre del suo numero, e poi del mio.

Tento anche 1066, la battaglia di Hastings, 1815 per la battaglia di Waterloo e 1776, visto che abbiamo appena studiato la guerra d'Indipendenza americana a scuola.

Tutto inutile. Non posso farcela.

Però...

Posso inserire tutti i numeri tra 0000 e 9999.

Ogni singolo numero.

Quanto tempo ci vorrebbe? Faccio una rapida stima con la calcolatrice del cellulare. Contando due secondi per inserire ogni numero (forse posso metterci meno?) e arrotondando 9999 a 10.000, servono 20.000 secondi. Diviso 60 per trovare i minuti fa 333 (virgola tre periodico, in realtà), che diviso 60 per calcolare le ore risulta...

Cinque e mezza.

Il martedì la nonna torna per pranzo.

Devo solo sperare che non abbia scelto uno dei numeri più alti.

Mi metto subito al lavoro.

0000

0001

0002

0003
0004
A ogni scatto di rotellina, provo ad aprire la scatola. Non devo essere precipitosa. Non voglio arrivare a 9999 e scoprire che ho saltato dei numeri, o che non ho provato ogni volta a sbloccare la serratura.

E così eccomi qui, seduta sul pavimento della camera della nonna, con la schiena contro il suo letto e la scatola di latta in grembo, a tentare tutte le combinazioni, provando ogni volta ad aprire...

Passa un'ora.

2334 rotellina

2335 rotellina

2336 rotellina

Mi alzo, distendo i muscoli, vado in bagno e poi mi preparo una tazza di tè.

Un'altra ora.

3220 rotellina

3221 rotellina

Le spalle mi fanno male e anche le dita, per via dei bordi affilati delle rotelline con i numeri.

Un'altra ora.

Fisso nervosa la lancetta mentre fa *tic tac* verso il mezzogiorno. Penso: *Se la nonna non torna troppo presto, dovrei riuscirci.*

Non faccio in tempo a finire il pensiero che sento la sua macchina entrare nel vialetto.

Capitolo cinquantadue

Oddio, oddio, oddio.

Balzo in piedi all'istante e corro di sotto a chiudere la porta d'ingresso, perché se la nonna la trova aperta quando arriva possono succedere due cose:

a) Finisco nei guai per non aver chiuso a chiave quando sono uscita per andare a scuola, oppure...
b) la nonna capisce che sono già tornata per una qualche ragione e viene a cercarmi.

Attraverso il vetro smerigliato della porta la vedo che percorre il vialetto. Accanto a lei c'è Lady, il che significa che oggi non ha altri impegni e resterà a casa per il resto del pomeriggio.

Giro in fretta la chiave, la sfilo dalla serratura e torno di corsa al piano di sopra, dove spingo con un calcio la scatola – ancora chiusa e inaccessibile – sotto il letto e poi chiudo gli armadietti; riesco appena in tempo a mettere via la scala a libro che la nonna entra dalla porta e *sale immediatamente al piano di sopra.*

Si è tolta il cappotto, nient'altro. Sembra proprio di fretta.

Non ho altra scelta se non quella di tuffarmi sotto il suo letto.

Va bene, d'accordo, qualche alternativa c'era. Potevo nascondermi in camera mia, ma per raggiungerla avrei rischiato di farmi vedere dalla nonna, visto che è già sulle scale. O magari potevo nascondermi dentro un armadio...

Questa, ora che ci penso, non sarebbe stata una cattiva idea, anche perché forse la nonna sta venendo qui per recuperare la scatola. È di sicuro qualcosa che ha in mente, e se guarda sotto il letto...

Shh.

Sta entrando, con Lady al seguito che annusa il tappeto. Riesco a vedere le gambe della nonna e le zampe di Lady, che sembra agitata, forse perché ha avvertito la mia presenza nella stanza.

«Che cosa c'è che non va, Lady? Annusi un sacco, oggi» dice la nonna.

Sento un cigolio, e il materasso sopra di me s'incurva: si è seduta. Sfila le sue pratiche décolleté col tacco basso e poi si avvicina all'armadio. Torna a sedersi e indossa un paio di scarpe da ginnastica.

Poi scoppia a ridere. «Hai già capito tutto, vero, Lady? Sai che c'è una passeggiata in arrivo! Be', oggi dovrai fare la brava, perché dobbiamo incontrare qualcuno e voglio la tua opinione su di lui.»

Poi si alza, perché hanno suonato alla porta, e deve scendere ad aprire.

Riesco a sentire cosa dicono, anche se da sotto il letto le voci mi arrivano attutite e sono un po' frastornata.

La nonna: «Ciao. Entra pure. Prendo i guanti in cucina e sono da te».

La voce di un uomo: «Ciao, Bea. Ciao, Lady, è bello rivederti. La vuoi una coccola?».

Ho un sussulto, perché ho già sentito questa voce. Non riesco ad associarla, ma sono certa di conoscerla.

Sguscio fuori da sotto il letto. Devo scoprire a chi appartiene e lo farò guardando dalla finestra, perché non posso rischiare di affacciarmi sulle scale.

Sento la nonna che dice: «Andiamo».

Poi la porta d'ingresso si chiude.

La nonna e Lady percorrono insieme il vialetto, seguite dall'uomo: non riesco a vederlo in faccia, ma ha i capelli corti d'un biondo rossiccio.

Esatto. È proprio lui.

L'uomo che ho incontrato al Priory View.

Che cosa ci fa qui? Con la nonna?

Capitolo cinquantatré

Un'ora. Di solito è questa la durata delle passeggiate della nonna con Lady. La strada, i campi da golf, giù fino alla spiaggia e al faro, e poi di nuovo a casa. Ci si può mettere meno. Molto meno tempo. Se però ci si ferma a tirare la palla e si lascia che Lady giochi con gli altri cani, di solito ci vuole un'ora.

Chi può dirlo? Insieme a quel tipo magari arriva solo fino al palco per l'orchestra e poi torna indietro. Oppure prosegue fino a Seaton Sluice e ci mette l'intero pomeriggio.

Mi sto raccontando tutto questo per distrarmi dal dolore alle dita.

5004 rotellina

5005 rotellina

5006 rotellina

Ma torniamo a quell'uomo.

Vado dritta al punto. So che può sembrare strana come conclusione, anzi, non è nemmeno una conclusione, però...

La nonna *sta uscendo* con lui?

Il pensiero mi fa rabbrividire. Prima di tutto, lui è molto più giovane. Non mi piace pensare alla nonna come a una signora anziana con un toyboy. A essere sincera, non sarei entusiasta nemmeno se avesse la sua stessa età. Semplicemente, non mi sembrerebbe giusto.

Tra l'altro è un fumatore. La nonna non uscirebbe mai con un fumatore.

(Una volta le ho chiesto se fumare era grezzo. Ci ha pensato per un po' e alla fine ha risposto: «Quando lo facevano tutti, non lo era. Ora che lo fanno in pochi, invece sì». Poi ha sorriso della sua osservazione arguta, e ho sorriso anch'io. È proprio come dice lei.)

Il fatto è questo: la nonna è la nonna. Severa, rigida, molto rispettabile. E, soprattutto, *single*.

6445 rotellina

6446 rotellina

6447 rotellina

Sto cercando di radunare tutti gli elementi che non tornano. La faccenda della bisnonna, la bugia sull'incontro per il mercatino della chiesa in canonica, il ritorno a casa con gli occhi gonfi di pianto, l'appuntamento con un uomo più giovane e *questa dannata, stupida scatola CHE PROPRIO NON SI APRE*.

7112 rotellina

7113 rotellina...

Tac!

Si è aperta. Al tentativo numero settemilacentotredici.

Ho la gola secca. Le mani mi tremano un po' mentre apro la serratura e sollevo il coperchio.

Se qualcuno mi avesse chiesto che cosa mi aspettavo di trovare, mai in un milione di anni avrei risposto: "Una fotografia della pop star Felina". Eppure è questo che trovo; mi fissa dritto negli occhi.

La fotografia a colori di una cantante morta, con il suo make-up da gatto, le dita piegate ad artiglio, con un luccichio scaltro negli occhi e un sorriso sfacciato.

Felina.

Capitolo cinquantaquattro

Oltre alla foto che ho in mano, ce ne sono molte altre, alcune ritagliate dalle riviste. Trovo una copia di *Soul*, con una fotografia di Felina in copertina e un sacco di altre immagini e testi all'interno; e una copia del quotidiano *Sun* di dieci anni fa, con una foto bordata di nero in prima pagina e il titolo *Addio a Felina*.

C'è anche una copia del *Guardian*, aperto sulla pagina dei necrologi, dove pubblicano la biografia di tutti i personaggi famosi che muoiono.

Leggo l'articolo da cima a fondo.

FELINA

La cantante pop dalla voce roca, i brani orecchiabili sempre in testa alle classifiche e un tormento interiore mai sopito.

Un altro nome si aggiunge al triste elenco di vittime dello spericolato stile di vita da rockstar: la cantante soul-pop Felina è stata trovata morta all'età di ventiquattro anni. Non è ancora chiara la causa del decesso.

Tra le artiste di maggior successo del momento, grazie a una voce inconfondibile – e all'altrettanto inconfondibile stile – Felina ha conquistato intere generazioni, salendo in testa alle classifiche di vendita degli ultimi anni. La nota cantante, però, aveva una dipendenza da droga e alcol che ha pesantemente condizionato la sua vita.

Il suo secondo album, *The Cat's Whiskers*, è rimasto in testa alle classifiche per quattro settimane e l'ha portata a un livello di fama tale che – direbbe qualcuno – si è trasformato nella sua rovina.

Miranda Enid Mackay, questo il suo vero nome, nacque in una famiglia di ceto medio nel sud di Londra. Suo padre Gordon, agente di commercio, e sua madre Belinda divorziarono.

All'età di sette anni Felina partecipò a un corso di recitazione, anche se presto fu chiaro che la musica era la sua vera passione. L'istinto ribelle emerse all'inizio dell'adolescenza: a quattordici anni, per sua stessa ammissione, fumava sigarette e aveva già un tatuaggio, il disegno di un gatto sull'avambraccio. «I miei genitori non possono controllarmi, e questo è tutto» dichiarò in seguito.

Il suo insegnante di canto passò un file mp3 a una etichetta discografica. A soli diciassette anni, Felina firmò un contratto con la Slick Records, ma la sua ribellione aveva già portato alla rottura con i genitori e all'abbandono del tetto familiare, mentre cominciava la relazione con il collega musicista Ricky Malcolm.

La prima canzone, *Say You Can*, uscì all'indomani del suo diciannovesimo compleanno. Miranda si presentò sulla scena musicale come Felina, e il suo look da gatto fu subito tanto ammirato quanto deriso.

Di sicuro contribuì ad attirare

l'attenzione del pubblico. Seguirono le prime esibizioni da star, insieme all'ingresso di una sfilza di canzoni in classifica, incluso il brano che sarà per sempre associato a lei, *Light the Light*. Fu anche il singolo della svolta negli Stati Uniti, ma la scalata al successo oltreoceano sarebbe stata bruscamente interrotta dalla sua morte.

Le canzoni continuarono a entrare in classifica, anche quando diventò chiaro che il mondo dello spettacolo stava chiedendo pegno. Una serie di apparizioni e concerti cancellati fece circolare la voce – al tempo negata con fermezza – che avesse problemi di alcol e droga.

I paparazzi cominciarono a seguirla per le strade di Londra. Era molto difficile che apparisse in pubblico senza l'abituale trucco felino, di solito abbinato a un paio di occhiali con la montatura da gatto.

Felina ha vinto una nomination ai Brit Awards come Miglior Artista Femminile e nello stesso anno è stata nominata al Mercury Music Prize e all'Ivor Novello Award per il cantautorato.

Inaspettatamente si sposò con Ricky Malcolm e arrivò una figlia, battezzata Tiger Pussycat. A Felina il ruolo di madre andava stretto, e si guadagnò molti commenti ostili quando partì per un tour mondiale, affidando Tiger Pussycat, di soli sei mesi, alle cure della nonna.

Dopo che Felina fu fotografata di notte, in stato di apparente ubriachezza, mentre girava per strada con la bambina, le vendite subirono un tracollo.

La madre di Felina fece ricadere tutta la colpa su Ricky Malcolm, accusandolo di aver portato la figlia "sulla cattiva strada" e di averla "contagiata con il virus di una celebrità troppo repentina".

Al momento della morte, Felina si era già separata da Ricky Malcolm, che ieri è ritornato in Gran Bretagna dal suo tour in Nuova Zelanda.

Il corpo di Felina è stato ritrovato dalla polizia nella sua casa sabato mattina. Non è ancora stata stabilita la causa ufficiale della morte, anche se si sospetta fortemente che si tratti di overdose. In base a una riflessione che molti condivideranno, però, la madre della cantante ha dichiarato che la talentuosa Felina è stata «uccisa dalla celebrità».

Miranda Enid Mackay "Felina" lascia i suoi genitori e la figlia.

Mi ci è voluta un'eternità per leggere tutto, e adesso fisso la pagina, triste e confusa.

C'è qualcosa che va oltre la storia di una cantante che si è rovinata la vita con gli eccessi del mondo dello spettacolo. C'è qualcosa che va oltre "Tiger Pussycat" – le parole che la bisnonna mi ha sussurrato quel giorno – e il fatto che sia il *nome* di una povera bambina. C'è qualcosa – molte cose – in questa storia che mi toccano da vicino, in un modo che ancora non riesco a capire.

Ripongo il giornale nella scatola di latta e mi metto a guardare gli altri ritagli. Ci sono articoli sui premi vinti da Felina, notizie su Felina che esce da un night club con Ricky Malcolm – un ragazzo dai capelli lunghi con il corpo tatuato – e in tutte le fotografie lei indossa sempre il travestimento da gatto.

Devo ammetterlo: era molto brava a nascondere chi era davvero, o quantomeno il suo aspetto. Il suo era un travestimento, una maschera. Indossava sempre gli occhiali con la montatura da gatto e uno spesso strato di rossetto cremisi.

Voglio saperne di più, e così continuo a frugare nella scatola di latta, seduta sul pavimento della camera della nonna. Altre foto, altri ritagli.

Controllo l'orologio sul telefono. Se n'è andata da un'ora e non voglio farmi trovare qui, così rimetto tutto a posto e, mentre lo faccio, mi cade l'occhio su un ultimo articolo.

È tratto dal *Daily Mail* e s'intitola: *Felina – Le fotografie mai viste della Malinconica Principessa del Pop.*

Apro il foglio piegato, e in quell'istante la mia vita cambia.

Felina – Miranda Mackay – è la mia mamma.

Capitolo cinquantacinque

Ebbene sì.

Felina è la mia mamma, il mio vero nome è Tiger Pussycat (per carità) e la nonna mi tiene all'oscuro di tutto da sempre.

È stata la fotografia nell'articolo: Felina senza trucco, quando non era ancora famosa; è la stessa che abbiamo sopra il caminetto. Non devo nemmeno scendere a controllare.

È così e basta.

È carina, deve avere sedici anni, ha un sorriso ottimista e uno sguardo sfacciato. Vedo la somiglianza senza fatica. Gli occhi sono grigio-azzurri, pallidi e lucenti, proprio come i miei. Anche i capelli biondo rame o, come piace dire alla nonna, "d'oro filato".

Ha persino qualche brufolo sul mento che il correttore non ha corretto come si deve.

Prendo la fotografia di Felina con il trucco completo e gli occhiali, i capelli tinti di castano scuro, e affianco le due immagini. È ovvio, una volta che lo sai. Si capisce dalla forma del viso, dal mento leggermente appuntito.

Ma se non lo sai? Impossibile capirlo.

Leggo l'articolo più in fretta che posso, ma non c'è nulla di nuovo rispetto a quanto ho già letto poco fa. Solo quell'immagine e la didascalia: "Un tempo felice: Felina da adolescente".

Volto pagina, e sento un nodo allo stomaco.

Il titolo dice:

"È stata questa fotografia a segnare la caduta di Felina?".

Ed eccola lì, inquadrata da un paparazzo, mentre guarda sbalordita verso l'obiettivo. Ha i capelli fradici, incollati a ciocche sul viso. È notte, le strade sono bagnate di pioggia. Nella mano sinistra stringe una sigaretta, e in quella destra il polso di una bambina dall'aria infelice, di circa tre anni.

La didascalia della foto dice: "L'ultima notte di Felina con sua figlia, Tiger Pussycat".

Ecco cosa diceva la bisnonna: Tiger Pussycat.

Il mio nome.

Io.

Capitolo cinquantasei

Guardo sulle riviste le fotografie dell'uomo con i capelli lunghi e la barba incolta: Ricky Malcolm, mio padre.

Non ho nemmeno bisogno di recuperare la foto in camera mia, dallo scaffale dove la tengo da sempre, perché la ricordo a memoria.

Ci sono io, quand'ero solo una neonata, e la mamma che mi tiene tra le braccia e mi guarda, con un mezzo sorriso soddisfatto sul viso. Naturalmente per una fotografia così non ha indossato il suo travestimento da Felina. Seduto alla sua sinistra c'è un uomo con la barba e il dolcevita, i capelli lunghi raccolti in una coda, lo sguardo rivolto verso la mamma. La tiene stretta con il braccio destro e sorride anche lui, ma le spalle sono voltate altrove.

È come se non vedesse l'ora di uscire dall'inquadratura. L'ho sempre pensato, in realtà, anche se fino a oggi non l'ho mai espresso a parole.

Non c'è dubbio che si tratti dello stesso uomo, però. Lo stesso uomo che compare negli articoli di giornale custoditi nella scatola di latta della nonna. Guarda quasi sempre verso la macchina fotografica con modi aggressivi, come se fosse furibondo con i paparazzi, oppure solleva una mano per coprire l'obiettivo.

C'è solo una foto in cui fa il suo lavoro, come musicista. È sul palco a testa china a suonare il basso, con una camicia di jeans aperta fino alla vita, e sembra esattamente quello che è.

Mio padre. La rockstar.

Be', non molto star, a dire il vero. La didascalia dice: "Ricky Malcolm: il solitario musicista mancato".

Leggo anche l'articolo ritagliato da *Heat*. È molto breve e risale a cinque anni dopo la morte della mamma.

Che fine hanno fatto?

Ricky Malcolm, marito della tormentata rockstar Felina, non si è più mostrato in pubblico dopo l'inchiesta sul decesso della moglie cinque anni fa. Prosciolto dalla corte da ogni responsabilità nella morte di Felina, Malcolm, di origini neozelandesi, pare essere tornato nella sua terra natale, dove alcune fonti sostengono che abbia rimesso ordine nella sua esistenza e ora viva da eremita nella remota comunità di Waipapa nella quasi deserta Isola del Sud.

Frugo con urgenza tra i ritagli ancora nella scatola, in cerca di articoli.

Non c'è altro. Questo è il più recente.

Ma trovo un biglietto sul fondo. Uno di quei biglietti che la gente usa per esprimere i ringraziamenti; tutti eccetto la nonna, naturalmente, che ha una scatola speciale piena di carta da lettere costosa con le buste abbinate.

Sul biglietto c'è l'immagine di un mare grigio e tempestoso e al centro un minuscolo faro investito dalle onde. Davanti c'è scritto: "Tu sei la mia quiete nella tempesta". Dietro c'è un messaggio, scritto con una grafia larga e tondeggiante.

Grazie di tutto, mamma. Ho commesso degli errori, che non sono responsabilità tua. Se le cose dovessero andare male, per favore porta Boo via da TUTTO questo. Baci, M

Ripongo con attenzione tutti i ritagli nella scatola, la chiudo con il lucchetto a combinazione e la rimetto a posto nel punto esatto in cui l'ho trovata.

Torno in camera mia, e proprio allora sento aprirsi la porta d'ingresso: è la nonna che entra con Lady.

Adesso devo capire che cosa farne, di tutte queste informazioni.

Non so che cosa mi ha scioccato di più.

Il fatto che mia madre fosse una famosa cantante, morta in circostanze tragiche?

O che mio padre fosse un bassista, che oggi probabilmente vive in Nuova Zelanda?

E aggiungerei anche: che la nonna mi abbia sempre mentito? E forse anche la bisnonna, se è per questo?

Voi che cosa fareste?

Qualsiasi cosa abbiate pensato, non è quello che farò io. Lo escludo.

Capitolo cinquantasette

Sono sdraiata sul letto. Al piano di sotto sento la nonna indaffarata. Il tintinnio delle tazze mi ricorda che avrei dovuto preparare la cena.

Dico alla nonna quello che ho scoperto?

Per farlo dovrei ammettere di aver ficcato il naso in camera sua, ma nella classifica dei "raggiri commessi in questa casa", un pizzico di spionaggio in camera da letto viene molto dopo rispetto a "mentire a mia nipote PER TUTTA LA SUA VITA".

Che differenza fa?

Perché la nonna ha mentito?

Potrò fidarmi ancora di lei?

Sarà forse arrabbiata? Sconvolta? Ferita? Dispiaciuta? Sprezzante?

E io?

Cambierà qualcosa?

E la bisnonna?

Tutte queste domande mi vorticano nel cervello. La pasta al forno con il sugo al tonno che avrei dovuto preparare per cena non mi sembra più così importante.

Non c'è da stupirsi che l'abbia dimenticata. E se me ne restassi qui in camera per tutta la sera?

«Ethel!» sento gridare dal piano di sotto. «Puoi scendere, per favore?»

Decido di rimandare il confronto a quando avrò avuto un po' di tempo per riflettere. Fino a quel momento, la nonna e io vivremo in uno stato di totale disonestà reciproca.

Lei mi sta mentendo su quello che sa, e io le sto mentendo perché non le dico che ormai so tutto quello che sa.

Non dovrei sapere nulla di mia madre. Né di mio padre. Né del toyboy della nonna.

La nonna non può sapere – non ancora, almeno – che ho messo il naso tra le sue cose, e dell'invisibilità.

La serata in cucina si prospetta tesa.

«Scusa, nonna. Mi ero addormentata.»

Non sembra infastidita. Anzi, è di umore buono e – oserei dire – allegro.

«Non importa, tesoro. Ci mangiamo dei tramezzini, ti va?»

Mi tengo impegnata preparando i tramezzini al tonno, e rispondo alle domande della nonna sulla scuola cercando di risultare credibile.

«Sei tornata tardi» le faccio notare, nella speranza che dalla risposta emerga qualcosa sull'uomo che ha incontrato oggi.

Mentre risponde con disinvoltura, non mi guarda nemmeno: «Oh, lo sai come vanno le riunioni: non finiscono mai! Davvero! Bah!».

Dice proprio così, "bah". Probabilmente non ci avrei fatto caso in altre situazioni, ma ora? Sono in cerca di qualsiasi dettaglio possa dimostrare che la nonna è una bugiarda seriale.

Quando abbiamo finito, si alza da tavola e comincia a togliere i piatti.

«Sparecchiamo, che ne dici? Grazie per aver preparato i tramezzini. Oddio, guarda che ore sono, tra poco comincia *Robson Green's Country Walks*, eh? Metto questo in frigo e...»

Sta facendo la cronaca in diretta delle sue azioni per evitare altre domande.

Me ne accorgo solo ora. È nervosa. Si finge spensierata perché nasconde qualcosa. E così capisco che non riuscirò a tirare fuori l'argomento dei miei genitori con la nonna. Non adesso, perlomeno.

Mi sento quasi dispiaciuta per lei. Certo, sono arrabbiata e confusa, ma vedo che anche la nonna è altrettanto disorientata e combattuta.

Bisognerà aspettare.

Oltretutto ho appena ricevuto un messaggio da Boydy. Un messaggio che cambia TUTTO.

Chiamami chiamami chiamami. Grossi guai in vista con i gemelli.

Capitolo cinquantotto

Sono in camera mia, con la chiamata in vivavoce e le dita che ballano il tip-tap sulla tastiera del portatile mentre parlo con Boydy.

«Non lo trovo.»

«Fidati di me e basta.»

«Voglio vederlo con i miei occhi. Ne sei assolutamente certo?»

«Sicuro al cento per cento.»

Eccolo finalmente, ma non è quello che temevo quando, nervosissima, ho chiamato Boydy. Mi ero immaginata che volesse parlarmi del video, soprattutto quando ha esordito dicendo: «Hai visto il sito della scuola?».

**Whitley Bay – Gita scolastica
al Centro Attività High Borrans
14-19 giugno**
Gli studenti che hanno versato la quota
di partecipazione e inviato il modulo di autorizzazione
al professor Natrass sono…

Segue un elenco di circa venti nomi, inclusi Jesmond e Jarrow Knight.

«Staranno via sei giorni a partire da mercoledì» dice Boydy.

«E...?»

Non riesco a concludere la frase.

Boydy rompe il silenzio.

«Quindi dobbiamo agire domani, Eff.»

«Se i gemelli non ci sono, sarà più facile entrare in casa.»

«Ma il cellulare lo porteranno con sé. Riesci a *immaginare* quanto forte sarà la tentazione di mostrare il video a tutti durante la gita?»

«Ma se noi accettiamo di pagarli...»

«Hai i soldi, Eff?»

«Be', no. Certo che no.»

«Quindi conosci già la risposta. Non puoi pagarli, e loro lo sanno. Se non ce ne sbarazziamo, quel video diventerà virale. Sempre che non lo sia già.»

Penso a Jarrow e Jesmond in gita scolastica. Sbruffoni e presuntuosi. In pullman, nel dormitorio, mentre tutti parlano ancora del "fantasma" della scuola.

Deglutisco con forza.

Boydy ha ragione, naturalmente. Lo faranno vedere a tutti, non c'è dubbio, e cosa succederà? Non ho idea di quanto pagherebbero giornali e siti per una cosa del genere, ma è uno di quei filmati che ti aspetti di vedere su dailymail.com o BuzzFeed, sotto un titolo del tipo:

Una scuola infestata dai fantasmi: la videocamera ha ripreso uno spettro?

Il cuore mi martella in petto per l'agitazione. Pensavo che avessimo qualche giorno per organizzare tutto, per studiare il piano migliore. In sostanza, per trovare il coraggio.

Mentre Boydy e io parliamo, tergiversiamo e cerchiamo una qualche buona ragione per non mettere in atto il piano, arriva un messaggio sul mio telefono, da parte di Jarrow Knight.

Prima rata: 24 ore a partire da questo momento.

Lo leggo a Boydy e sappiamo entrambi che cosa vuol dire. Dobbiamo agire domani – per forza – e sono già in preda all'agitazione. Guardo l'orologio. Sono appena passate le nove.

«Riesci a raggiungermi nel vialetto sul retro di casa mia tra cinque minuti?» gli chiedo. «Dobbiamo fare un sopralluogo oggi, se domani vogliamo entrare in azione.»

«Devo pedalare molto veloce.»

«E allora pedala, Boydy: è fondamentale.»

Capitolo cinquantanove

Cinque minuti più tardi Boydy, Lady e io siamo diretti a casa dei Knight, e Boydy mi fissa con insistenza.

«Stai bene, Eff? Sembri un po', non saprei... pallida?»

Non gli ho confessato nulla di quello che ho appena scoperto. Cosa potrei dirgli? "Ehi, ho appena saputo che la mia mamma era davvero famosa. Indovina un po' chi era? E comunque non mi chiamo Ethel. Mi chiamo Tiger Pussycat." Non sono cose che si raccontano così alla leggera, giusto? Oltretutto, devo concentrarmi sull'obiettivo: evitare che i gemelli Knight rendano famosa anche me, e nel modo peggiore che si possa immaginare.

La nonna sta guardando il suo programma preferito in televisione, dove c'è un tizio che se ne va in giro per la campagna, e siccome è trasmesso dalla BBC non ci sono stacchi pubblicitari. Non si muoverà dal divano. Le dico che porto fuori Lady per la passeggiata serale e lei annuisce con aria assente.

C'è un vialetto che corre alle spalle dei giardini Eastbourne, poi svolta a sinistra e un centinaio di metri più avanti costeggia il giardino dietro casa dei Knight, che è protetto da un alto muro con una porta.

«Non posso scavalcarlo» dico, allungando il collo per guardare meglio. «Anche perché... hai visto?»

La sommità del muro è piena di pezzi di vetro dai bordi affilati, incastonati nel cemento in modo disordinato: è una specie di filo spinato artigianale, che ha tutta l'aria di essere pericoloso.

Provo ad abbassare la maniglia della porta. Come mi aspettavo, è chiusa a chiave. Provo di nuovo e faccio un balzo indietro per lo spavento. Dall'altra parte si sente il tonfo di un cane – un cane grosso, direi – che si scaglia contro la porta e comincia a ringhiare.

Lady guaisce e arretra, strattonandomi il braccio con il guinzaglio.

Boydy si succhia i denti e dice: «Mmm. Questa dev'essere Maggie, la loro... ehm... l'incrocio di Tosa».

«La loro... che?»

«La loro, ecco... è un incrocio di Tosa.»

Lo guardo inarcando le sopracciglia, e resto lì in attesa.

«È un cane. Un Tosa incrociato con qualcos'altro.»

«Vuoi dire il cane da combattimento giapponese? La famiglia Knight ha un cane che appartiene a una razza vietata in Gran Bretagna perché è troppo feroce e tu non me lo dici? Come fai a sapere che è un Tosa?»

«Mi dispiace, Eff, è solo che non volevo spaventarti. Ho sentito Jesmond che si dava delle arie. Dice che Maggie ha un cuore d'oro e che è stata presa in un canile dal loro papà. È un incrocio, quindi non è illegale. Immagino che non sia nemmeno così pericolosa.»

Lo dice come se questo azzerasse il rischio. Maggie sta ancora ringhiando, e Lady tira il guinzaglio.

Camminiamo lungo il muro finché non si congiunge alla recinzione di un altro giardino. Potremmo passare da lì: entrare nel giardino accanto e poi in quello dei Knight. Come se cambiasse qualcosa, vista la presenza di un cerbero ringhiante, per quanto dotato di un cuore d'oro.

Il vialetto finisce e ci ritroviamo sulla via parallela a quella dove abito. Seguiamo la strada che curva a destra e arriviamo su quella costiera, dove la casa della famiglia Knight si affaccia sui campi da golf. È una grande villa, ma un po' malconcia, con la pittura scrostata e una macchina arrugginita nel vialetto.

Il sole è appena tramontato, ma il crepuscolo durerà un'altra ora. Il cielo è blu scuro e si accendono le luci in strada, così Boydy e io attraversiamo e ci sediamo alla fermata dell'autobus in penombra, sperando di poter osservare la casa senza essere notati.

Sopra le nostre teste un aeroplano segue la linea della costa prima di inclinarsi a sinistra, in alto sopra il faro: resto lì a guardarlo, ipnotizzata dal suo silenzio e dalla sua grazia.

Accanto a me sento un sonoro morso: è Boydy che addenta una mela.

«Non manca molto, eh?» dice.

Seguo il suo sguardo verso il faro, ma non dico nulla.

«Ti sei scordata?»

«No, no» mento. In effetti sì, mi ero scordata. «Dopo-domani, giusto? *Light the Light?*»

Boydy sorride. «Sarà fantastico! Ci sarai?»

Ho avuto parecchio altro a cui pensare, però annui-sco. «Non me lo perderei per nulla al mondo.»

Boydy torna a fissare la casa della famiglia Knight. «O da qui o da dietro, in pratica» dice dopo un po'.

Nei successivi dieci minuti, definiamo il piano per domani sera. Se funzionerà, è tutto da vedere.

C'è un grosso punto interrogativo: possiamo farcela dopo la scuola? L'invisibilità dura cinque ore, o così è andata l'ultima volta. Ci vogliono due ore per attivarla.

Quindi, immaginando di tornare da scuola attorno alle 16.30, di cominciare la procedura alle 17, di essere invisibile per le 19...

Sì, possiamo farcela.

Il problema è che la nonna rientra alle 18, nel bel mezzo della processo per diventare invisibile.

È improbabile che vada in garage. Non impossibile, ma improbabile. Quindi devo essere lì dalle cinque, den-tro il lettino solare, e sperare che lei non passi di lì. Una volta che avrò finito potrò uscire dal retro cercando di evitare la nonna. E anche Lady, che potrebbe impazzire al mio passaggio, anche se mi auguro che non succeda.

Affiderò a Boydy il mio telefono per tutta la durata dell'operazione. In questo modo, se la nonna scrive o chiama, lui può rispondere con un messaggio in cui fin-ge di essere me, scrivendo che sono sulla strada di casa o che qualcuno mi ha trattenuta.

Ripasso tutto nella mia testa, chiedendomi cosa potrebbe andare storto, contando sulla punta delle dita le trappole in cui posso cadere, preoccupata al ricordo dell'enorme Tosa giapponese che potrebbe non andare d'accordo con le persone invisibili; e non smetto mai di domandarmi come farò – come *accidenti* farò – a realizzare l'impossibile, o quasi.

Ovvero: accedere al/ai computer dei gemelli Knight.

È una scommessa. È tutta un'enorme scommessa: le probabilità sono contro di me, ma non ho altra scelta.

Ecco il piano (così com'è). Boydy lo scrive e me lo invia, così lo abbiamo entrambi.

19.50 – Ethel esce di casa dalla porta sul retro.
20 – Ritrovo con E. Boyd nel vialetto. E. invis. Si parte verso casa Knight.
20.15 – B. bussa alla porta e ha inizio il piano. E. entra dalla porta aperta.
A partire dalle 20.15 (parte prima) – E. cerca i computer di J&J. Mac o Windows? C'è un computer condiviso? Eseguire l'operazione Cancella Tutto, come da programma.
A partire dalle 20.15 (parte seconda) – Cercare i cellulari di J&J. Saranno protetti da password. Rubarli o distruggerli.

A tutto questo, naturalmente, bisogna aggiungere due punti:

- Non farsi catturare.
- Non farsi sbranare da uno strano ibrido di lupo ninja.

È ridicolo. Mostruosamente stupido e impossibile. Ma deve funzionare.

Capitolo sessanta

Boydy e io ripercorriamo il vialetto quasi in silenzio. Prima di salire in bicicletta, mi consegna un foglio di carta piegato.

«È la traduzione della scatola da tè cinese. L'ha fatta per me il papà di Danny Han.»

Danny Han abita sopra il ristorante d'asporto cinese. Boydy è uno dei loro migliori clienti.

Mentre leggo il foglio, ci fermiamo sotto la luce gialla del lampione. Nei punti in cui il signor Han non riusciva a trovare la parola corretta, ha messo un punto di domanda.

**DECOTTO "PELLE LISCIA"
DEL DOTTOR CHANG
Antico rimedio/medicina per molti problemi
della pelle e del cuoio capelluto inclusi: acne,
foruncoli, psoriasi, vitiligine, scabbia, (???),
e (?eruzione cutanea?).
Usando minerali e piante tradizionali, il dottor
Chang di Heng San Nan ha creato una miscela**

mistica (?magica? ?sconosciuta?) di (???) che renderà
pulita e (?vellutata?) la pelle di chi la utilizza.
Istruzioni per l'uso: uno o due *qian* (5 g?) diluiti
in acqua una volta al giorno.
Attenzione: non mangiarne di più.
Contiene: polvere di fungo, (???), jiun sai (?), pietra
calcarea, (???), sale lacustre, corna di rinoceronte
e una mistura segreta.

Tutto qui. Davvero fantastico.

Non solo manca un indirizzo a cui fare riferimento,
ma la "mistura segreta" può essere qualsiasi cosa. Oltretutto scopro di aver assunto – senza saperlo – un preparato a base di corna di rinoceronte, che è quanto di
peggio si possa fare se si ha a cuore la tutela delle specie
a rischio (e io mi considero attenta, da questo punto di
vista: una volta ho partecipato a una passeggiata per gli
elefanti di non mi ricordo dove).

Ancora peggio, la traduzione è piena di punti di domanda.

«Il signor Han mi ha spiegato perché» dice Boydy, e
sembra quasi orgoglioso. «Il problema è che, quando non
conosci un simbolo in cantonese, non puoi capire cosa c'è
scritto. In inglese, anche se non sai che cosa vuol dire una
parola, puoi comunque guardarla e immaginare come si
pronuncia. Per il cantonese è tutta un'altra storia.»

«E dove sarebbe questa Heng San Nan?»

È l'unico indizio che abbiamo. Così lo cerchiamo sul
telefono.

Heng Shan Nan o Nan-Heng Shan, o qualsiasi altra possibile combinazione, è una montagna nel sud della Cina, la cima più meridionale dei cinque Monti Sacri. Ai piedi della montagna c'è il più vasto tempio cinese: il Grande Tempio del Monte Heng.

«Quindi il dottor Chang abita in montagna. Bell'affare. Scommetto che non esiste nemmeno. Non è che l'hai raccontato a qualcuno? Deve restare un segreto.»

Mi rivolge uno sguardo ferito. «Devi credermi, Eff. Non l'ho detto a nessuno. Sul serio.»

Gli credo. Sono solo agitata, ecco tutto. In fondo domani dovrò bere di nuovo quell'intruglio con le corna di rinoceronte.

Poi dovrò irrompere nella casa di due gemelli psicotici con un cane da combattimento giapponese in giardino.

«Allora» dice Boydy. «Ci si vede domani sera. O forse dovrei dire *non* ci si vede…»

«Ah ah» rispondo.

Ma non sono molto in vena di scherzi.

Capitolo sessantuno

Più tardi, in camera mia, sto fissando la confezione del *Decotto "Pelle Liscia" del dottor Chang*, quando il cuore mi balza in petto.

La polvere verde è quasi finita. Faccio un calcolo approssimativo per indovinare quanta ne ho bevuta per diventare invisibile. Non sono stata molto scientifica al riguardo: ho ingurgitato tutto quello che riuscivo senza finire per stare male.

Quattro, cinque tazze piene di quell'intruglio disgustoso? Di più? Non so dirlo con certezza.

Ma sono sicura di una cosa: ne rimane abbastanza per un ultimo giro, non di più.

E c'è un'altra questione che mi preoccupa.

Questa roba... questo intruglio di erbe, tè, sbobba o quel che è. È molto speciale, ecco. Bisognerebbe indagare, non vi sembra? Voglio dire, qualcuno, un vero scienziato, inviato dall'università o dal governo, dovrebbe analizzarlo.

Ma la verità è che nessuno mi crederebbe.

Da chi potrei andare? Una ragazzina di dodici anni

non può semplicemente presentarsi davanti a un professore a caso e dire: "Mi scusi, professore. Se preparo il tè con questa polverina, in una quantità sufficiente a provocarmi dei potenti rutti – pardon, *eruttazioni* – dall'odore pungente, e poi mi sottopongo a una lunga sessione in un lettino solare malandato, ecco che divento invisibile".

Piuttosto improbabile, giusto?

E a chi altro potrei rivolgermi?

Analizzo le possibilità dentro la mia testa (per l'ennesima volta, peraltro, visto che ci penso da parecchio tempo):

- La polizia. Sì, come no. Entro in una centrale di polizia e parto con la stessa tiritera di cui sopra? Sarei fortunata a non essere arrestata per perdita di tempo procurata a pubblico ufficiale.
- Il mio medico. Il dottor Kemp, che lavora all'ospedale di Monkseaton, è un uomo gentile, ma perché dovrebbe credermi? Perché qualcuno dovrebbe credere alle mie parole senza uno straccio di prova?
- Il professor Parker, il nostro insegnante. Taglierebbe subito corto, come fanno spesso gli insegnanti. Mi sembra già di sentirlo. "Molto divertente, Ethel. Molto *buffo*. Se tu mettessi nello studio della fisica lo stesso impegno che hai messo in questo assurdo *sciocchezzaio*, potresti diventare una studentessa modello. Nel frattempo…" ecc.

258

- Il deputato locale. Il vantaggio è che saprebbe come contattare gli scienziati del governo, ma sono troppo giovane per votarlo quindi non mi prenderebbe sul serio e avrebbe paura di essere deriso se lo facesse.
- Infine – immagino sia la scelta più ovvia – c'è la nonna. Costringerla a guardarmi mentre divento invisibile. A quel punto dovrebbe credermi. Il problema è che poi non riuscirei a eliminare la prova in possesso dei fratelli Knight, e quella è necessario che resti segreta. Dovrei fare così: "Ecco, nonna, adesso hai visto che sono invisibile. Resta qui ad aspettarmi, ora ho da fare una cosa davvero importante. Torno subito, eh?".

Il vero problema sono le prove. Chiunque pretenderà di vederle.

«Affermazioni straordinarie richiedono prove straordinarie» ha detto qualcuno, non ricordo quando.

Perciò farò così. Sembra una follia, ma provate a seguirmi.

Userò l'ultima dose di polvere per diventare invisibile ancora una volta: così potrò intrufolarmi in casa dei Knight. Lascerò solo un cucchiaino, per farlo analizzare. Non posso tenerne da parte più di così. Forse un giorno qualcuno riuscirà a rintracciare il dottor Chang, sempre che esista.

E posso anche filmarmi mentre divento invisibile.

Lo so. Sembra una follia, visto che sto diventando

invisibile per distruggere un filmato in cui divento invisibile.

Ma questa volta sarò io ad avere il controllo. Non finirà su Facebook o YouTube, Vimeo o Instagram, o qualsiasi altro social possa nascere in futuro.

Niente titoli di questo genere: *La figlia della sfortunata rockstar Felina diventa invisibile.*

Una volta che un video del genere finisce in internet, ne perdi il controllo. Non è più tuo. E io non sarei più me stessa. Diventerei la Ragazza Invisibile, il che mi renderebbe tutt'altro che invisibile.

Ma questo video è mio. La mia invisibilità, sotto il mio controllo. Resterà privata, un segreto. Cercherò un investigatore, uno scienziato, un ricercatore: qualcuno di cui mi fido totalmente. Sarà di mia proprietà.

Sarà tutto alle mie condizioni.

Terza parte

Capitolo sessantadue

Non ho dormito quasi per niente.

(Non credo che avreste dormito nemmeno voi, se aveste dovuto fare quello che dovrò fare io stasera.)

Mi ha tenuto sveglia un altro nubifragio. Sta diventando una di quelle estati inglesi che si vedono nei vecchi film comici che piacciono alla nonna: film che non fanno ridere nessuno, dove la gente va in vacanza in località balneari come un tempo doveva essere Whitley Bay, e non appena provano ad aprire le sdraio comincia a piovere.

Stanotte, comunque, ero combattuta tra due pensieri: *Per favore, pioggia, smetti di cadere, per favore smetti* e *Pioggia, scendi più forte che puoi e spazza via tutti quanti*.

La pioggia, come ho scoperto durante la mia uscita a scuola, non va d'accordo con l'invisibilità.

Anche trovare una spiegazione per stare fuori tutta la sera ha richiesto un certo impegno. Alla fine ho scritto un messaggio alla nonna, che ho inviato durante la prima ricreazione del mattino.

Boydy ha organizzato una serata per il suo compleanno. Film e pizza. Mi riaccompagna a casa sua mamma.
Torno per le 23. Non aspettarmi sveglia. E xxx

Normalmente – ovvero quando la nonna si comporta in modo normale – un messaggio di questo genere
avrebbe scatenato una valanga di domande, a partire
da "Che cosa diavolo sarebbe una 'serata', Ethel? Vuoi
dire una festa?". Negli ultimi tempi, però, dalla nonna
mi aspetto tutto fuorché una reazione normale. È un po'
come se mi "aspettassi l'inaspettato".
Risponde così:
Ci saranno altri ragazzi?
Facile.
Sì, saremo in sette.
Plausibile? Credo di sì. E la nonna sembra d'accordo.
Bene. Divertiti. X

Durante la lezione di Fisica guardo fuori dalla finestra, osservo il cielo grigio e piatto nel tentativo di fare
sì, con la sola forza del pensiero, che non cominci a piovere. Poco dopo sono sul punto di crollare dal sonno,
anche se l'argomento della lezione di oggi mi sta molto
a cuore: la natura della luce.
«Spero che sia tutto chiaro» dice il professor Parker.
«Ci sarà un compito in classe a fine trimestre, miei cari
fortunelli.»
In classe si leva un lamento generale.
La luce è energia, questo l'ho capito.

È una radiazione che riusciamo a vedere, perché i nostri occhi si sono evoluti fino a esserne capaci.

Jesmond Knight alza la mano. Lui è in classe con me, al contrario della sorella.

«Professor Parker» inizia a dire, e poi si volta nella mia direzione. «Ritiene che sia possibile diventare invisibili?»

«Sono da questa parte, Knight, grazie. Intende dire se esiste un mantello dell'invisibilità come in *Harry Potter*? O sta pensando alla leggenda di Re Artù? O magari al dispositivo di occultamento di *Star Trek*? Una domanda splendida, la sua, e la risposta è – state pronti a restare di stucco – sì! Almeno in teoria. Dovete sapere che i ricercatori stanno lavorando per...»

Jesmond lo interrompe, il che è una mossa azzardata con il professor Parker, anche se questa volta riesce a scamparla. «Mi dispiace, signore. Non volevo parlare di dispositivi, ma proprio di persone.» Si volta ancora verso di me, con un sorrisetto subdolo che non gli arriva agli occhi.

«Ah! Una persona invisibile. Be', questo richiederebbe in campo sia biologico che tecnologico alcune svolte decisive fino a oggi considerate irraggiungibili anche dalle più brillanti menti scientifiche. Quindi la risposta alla sua domanda, Knight, è – almeno per il momento – un deludente e sonoro "no". Ma non deve rinunciare alla curiosità: magari sarà lei lo scienziato che...»

«Quindi, professore, se qualcuno fosse in grado di essere invisibile...»

«È un "se" davvero GROSSO, Knight.»

«Lo so, professore, ma se qualcuno ne fosse capace diventerebbe famoso, giusto?»

«Sì, immagino che diventerebbe famoso. Farebbe scalpore in tutto il mondo, senza ombra di dubbio. E parlando di ombre, chi sa dirmi la differenza tra ombra e penombra? Sì, Wheeler?»

E così torna a riflettere sulla natura della luce, lasciando Jesmond a fissarmi con il suo ghigno inquietante. Mi viene la nausea.

A scuola si parla ancora degli strani eventi di lunedì:

- Rafi McFaul dice che mi sono persa uno spettacolo incredibile, il più straordinario di tutti i tempi, anche se lei non ha visto nulla, mentre quelli che dicono di aver visto qualcosa – soprattutto chi era nell'ingresso e mi ha vista correre sotto la pioggia – di sicuro esagera un po'.

- Sam Donald dice che ha scorto il "fantasma" (perché questo sono diventata) che si voltava e scoppiava a ridere, indicando qualcuno nella folla.

- Anoushka Tavares insiste a dire che non era una figura umana, ma qualcosa di più grosso, come un grande gorilla.

Questo devo ammetterlo: i gemelli Knight devono avere un incredibile autocontrollo per non mostrare a tutti quel video. Ma ci hanno dato tempo solo fino a stasera per pagare la prima rata (che non abbiamo) e una volta che saranno partiti per la gita è *impossibile* che non tirino fuori il video, soprattutto quando saranno riuniti davanti al fuoco o chissà dove.

E questo rende ancora più necessario entrare subito in azione.

Capitolo sessantatré

Dopo la scuola, la serata è calda e leggermente offuscata, con una brezza salata che arriva dal mare. Di norma sarei felice di una serata così. Me ne andrei con Lady sulla spiaggia, mangerei per cena un'insalatona estiva con la nonna, farei i compiti, guarderei un po' di televisione e andrei a letto quando c'è ancora luce.

"Normale" si può dire di molte cose. Normale è qualcosa di piacevole, affidabile, prevedibile e rassicurante. Ora mi chiedo se mai qualcosa potrà essere ancora normale.

Prima di tutto mi faccio una doccia. Non voglio avere addosso nemmeno un pezzetto di polvere o sporco che possa smascherare la mia presenza. Controllo il moccio nel naso, la cera nelle orecchie, la forfora nei capelli, lo sporco sotto le unghie. Forse lo troverete disgustoso, ma pazienza: non voglio correre rischi.

Lo so, è un'affermazione senza senso. Quello che intendo dire è che non voglio correre altri rischi oltre a quello di entrare in casa di altri mentre sono invisibile, per cancellare i dati dai loro computer. Diciamo che, come rischio, mi basta e avanza.

Stamattina ho versato un po' di *Decotto "Pelle Liscia" del dottor Chang* nella bottiglietta d'acqua che mi porto a scuola e l'ho bevuto all'ora di pranzo. L'intruglio non era migliorato. L'ho trovato disgustoso come sempre.

All'ultima ora ho cominciato a sentire gli ormai familiari brontolii di stomaco e sapevo che cosa sarebbe successo di lì a poco. Ero a lezione di Inglese e la professoressa West aveva distribuito le parti per farci leggere *Otello*, che è una roba di Shakespeare. Tyrone Bower interpreta sempre Otello perché ci mette tutto se stesso e non gli importa di sembrare un pagliaccio, mentre de-cla-ma il suo amato Shakespeare, quasi fosse al Teatro Reale.

In quanto a me, ho fatto una cosa che – fino alla settimana scorsa – non mi sarei mai sognata di fare.

Stanca di Tyrone e della sua enfasi teatrale, ho scorso in avanti il testo e ho visto quello che stava per arrivare e così ho pensato...

Sentite com'è andata. Non rutterei mai in classe, normalmente. Chi lo farebbe? E che cosa mi ha fatto decidere all'improvviso che poteva essere una buona idea?

Ho trattenuto il rutto con tutta me stessa, mentre Tyrone declamava le sue battute. Stava persino facendo i gesti con le braccia *restando seduto al banco*. Non riuscivo più a trattenermi, iniziavo ad avere i crampi allo stomaco. Non per vantarmi, ma quando alla fine il rutto è arrivato, non avrebbe potuto avere un tempismo migliore.

Otello, se non lo sapete, è il generale di un esercito,

follemente innamorato di una donna chiamata Desde-
mona. Beccati questo, Tyrone:

Otello: Se dopo una tempesta seguon tali bonacce,
soffino i venti da svegliar la morte!
Io: *Burp!*

Avete presente quando bevete una Coca fredda in un
giorno afoso, e la mandate giù troppo in fretta? È stato
un rutto così, ma forte il doppio. Era potente ed è arrivato con un tempismo perfetto. Ma il suono non è stato
nulla rispetto all'odore, il peggiore di tutti i tempi.

I miei compagni di classe all'inizio hanno riso, per il
commento perfetto alla battuta "soffino i venti".

Ma poi la puzza ha cominciato a diffondersi.

Avete mai visto al telegiornale quando i poliziotti
lanciano i lacrimogeni sulla folla? L'aula della professoressa West non era tanto diversa. Hanno cominciato ad
alzarsi tutti dal banco e ad allontanarsi tossendo.

Ma la cosa fantastica è che nessuno mi ha dato la colpa. Hanno pensato tutti che fosse stato Andreas Han-
sen, che era seduto accanto a me, soprattutto perché
si è voltato e mi ha indicato, ma nessuno – e intendo
dire *proprio nessuno* – poteva mai immaginare che io, la
piccola e tranquilla Ethel Leatherhead, fossi in grado di
fare una cosa del genere. Per confermare l'impressione
generale, ho tossito un paio di volte e rivolto un'occhiata accusatoria ad Andreas.

Perlomeno so che l'intruglio sta funzionando.

Capitolo sessantaquattro

Boydy è venuto a trovarmi e abbiamo ripassato per la terza volta come cancellare i dati da Windows e da Mac.

Apri questa cartella, cerca quel file, trova quell'altro backup e via dicendo.

Controlla il software per l'editing video: Windows Movie Maker, iMovie.

Controlla i file dei filmati: .mpg, .jpg, .avi.

Controlla se è stato creato un backup prima di importare i file nei programmi di editing.

Il tutto nella speranza – e dico speranza – che in nessuna di queste fasi il computer, per sbloccare le diverse funzioni, mi chieda una password.

«Vedrai che quasi di sicuro andrà tutto bene» dice Boydy, anche se quel "quasi" non mi piace molto. «Ho dato un'occhiata ieri sera. È difficile che qualcuno imposti il computer di casa con una password per ogni programma. Troppo sbattimento. Si mette una password per entrare, dopodiché il computer resta sempre accessibile: la maggior parte delle persone non si preoccupa nemmeno di spegnerlo, lascia che vada in stand-by da solo.»

Questo un po' mi rassicura.

In garage il lettino solare è pronto all'uso e abbiamo posizionato il computer con una webcam perché registri tutto sull'hard disk esterno. Voglio l'intero filmato in alta definizione.

Altri due cucchiai colmi di miscela e nella confezione non resterà quasi nulla, eccetto il rimasuglio che ho lasciato per le analisi, una volta che potrò contare sul video come prova.

«Posso affidarlo a te?» domando a Boydy, porgendogli la confezione semivuota. Non so bene perché lo faccio: forse voglio dimostrargli che mi fido di lui, e che apprezzo il suo aiuto.

Di certo non sarei in grado di fare tutto da sola.

Prende la scatola di tè, la piega e la infila nella tasca del blazer. Porta ancora l'uniforme di scuola. Continua a tirarsi su i pantaloni, ed è allora che me ne accorgo.

«Hai, ehm… Sei dimagrito, Boydy?» gli chiedo, appena prima di scolarmi l'ultima dose della vomitevole creazione del dottor Chang, sforzandomi di deglutirla.

Non ho mai visto nessuno arrossire tanto, e così all'improvviso. Il povero Boydy non è diventato solo rosso: è proprio cremisi (che, nel caso non lo sappiate, è una tonalità rosso vivo).

«Si-si vede?»

«Le possibilità sono due: o vuoi portare i pantaloni larghi in stile anni Ottanta, o hai perso peso. Di sicuro non ti vanno più bene.»

«Ho solo mangiato più sano, tutto qui.»

Gli sorrido e lui arrossisce ancora di più, per chissà quale ragione.

«Bene» dico. «Ora è il momento di spogliarmi ed entrare nel lettino solare. La tua presenza non è più richiesta.»

«Eh? Cosa? Già, certo, Eff. Tutto in nome della scienza, eh? Ah ah.»

Si comporta in modo strano. Lo guardo perplessa.

«Va bene. Ci vediamo tra un paio d'ore al punto di ritrovo. Oh, mi raccomando... allaccia le cinture!»

Mi sfugge un altro rutto enorme.

«Niente male, Eff. Molto, ehm... Ok, ci si vede.»

Se ne va coprendosi il naso con la mano. Come dargli torto?

Persino Lady si mette a uggiolare e si ritira nella sua cuccia.

Capitolo sessantacinque

Sono le otto. Si sono allungate le ombre della sera e la minaccia di pioggia sembra svanita. Il cielo si è schiarito, assumendo una tonalità malva pallido striata di nuvole ardesia. Il mare è grigio-bruno, immobile come cemento appena posato.

Boydy e io siamo di fronte alla porta d'ingresso dei Knight. Lui ha in mano un portablocco e una penna.

«Ci sei?» mi chiede.

«Sono qui, dietro di te.»

«Dove?» Allunga la mano all'altezza del petto. «Ops, scusa, Eff.»

«Non importa. La prossima volta, però, mira più in alto, eh?»

«Ok. Sei pronta?»

«Sono pronta.»

Boydy suona il campanello, e per un breve istante mi chiedo se il suono non sarà coperto dal battito del mio cuore.

Da dentro casa si sente un sonoro abbaiare, sempre più vicino, finché due zampe non atterrano di schianto contro la porta, senza interrompere i latrati. D'istinto arretro, ma poi mi riavvicino quando sento una voce profonda, dal timbro elegante, che viene verso l'ingresso.

«Maggie! Maggie! Fa' la brava, tesoro. Togliti di mezzo. Jesmond! Vieni a prendere il cane, per favore!» È la voce di un uomo; immagino che sia Tommy Knight, il papà dei gemelli. Mi ricordo di averlo incontrato al mercatino della scuola che comprava dei saponi: aveva una voce molto più dolce di quanto mi fossi immaginata, come un leone che fa le fusa tipo gatto.

Si sente ancora un po' di trambusto e poi la stessa voce, questa volta più metallica, che crepita da un pannello d'ottone con un piccolo schermo e una telecamera.

«Chi è?»

Boydy sorride rivolto al pannello.

«Buonasera! Sono qui per *Light the Light*, la campagna per ripristinare la luce del faro St Mary, e mi chiedevo se avesse un momento per...»

«Sì! Aspetta.»

Si sente un *bip* elettronico appena oltre la porta, che si socchiude un poco mentre un uomo stempiato dai capelli biondo platino si mette in mezzo per bloccare il cane ringhiante. L'uomo rivolge a Boydy un sorriso timido e indica il bestione con un cenno della testa.

«Scusa, figliolo. Si eccita facilmente. Ora dimmi della vostra campagna: sono tutt'orecchi. Mi piace quando i giovanotti come te prendono l'iniziativa.»

Giovanotti?

Boydy comincia a raccontargli della campagna, e

Tommy Knight ascolta con attenzione, ridacchia e dice che è "una meraviglia", mentre io non riesco a togliergli gli occhi di dosso: fisso i capelli pettinati all'indietro e i denti che devono costare un bel po', e alla fine mi distraggo. Dimentico di essere invisibile e sto per dire: "Ma lei è il padre di Jesmond e Jarrow?" perché mi sembra così improbabile.

Dico solo «Ma», poi mi ricordo e chiudo la bocca.

Tommy Knight, che si è interrotto mentre parlava, guarda nella mia direzione mentre Boydy simula un attacco di tosse per coprire quello strano rumore.

«Comunque firmo volentieri!» dice Tommy Knight.

Prende il portablocco di Boydy, aggiunge la sua firma con tanto di svolazzi, usando una penna a sfera, e poi lo restituisce.

«Vi auguro buona fortuna. Vorrei tanto che i miei due figli si staccassero un po' dal cellulare e facessero qualcosa del genere!» Tommy Knight è sorridente e cortese.

Sta per chiudere la porta, quando Boydy salta su dicendo: «Noi... ecco, io... sono amico di Jesmond. Mi chiedevo se magari vuole firmare anche lui...».

«Ottima idea! Ora scusatemi, ma porto il cane nella stanza sul retro. Jesmond scende subito. Jesmond! C'è un tuo amico alla porta!»

Tommy Knight si allontana tirando Maggie per il collare, e saluta con un amichevole «Arrivederci» senza quasi voltarsi.

Si sentono dei passi giù dalle scale e Jesmond appare sulla soglia.

Qualsiasi calore Tommy Knight avesse dato a quell'incontro viene subito spazzato via dal gelo nei suoi occhi.

«Boyd? Che cosa vuoi?»

«Tutto bene, Jez?» Boydy abbassa la voce. «Sono qui, ecco... per il pagamento.»

Jez si guarda alle spalle per controllare che suo padre non sia nei dintorni.

Boydy mantiene l'approccio amichevole.

«Ho detto a tuo padre che sono qui per la campagna del faro, ma in realtà è per i soldi che dobbiamo darvi io ed Ethel.»

Jesmond guarda oltre le spalle di Boydy, poi a destra e a sinistra.

«E lei dov'è?»

«A casa. Ha mandato me per negoziare. Eddài, non te la prendere.»

La supplica di Boydy funziona, ma solo fino a un certo punto. Jesmond spalanca la porta ma resta lì a braccia conserte, sbarrando il passaggio. Boydy gli porge il portablocco e toglie il foglio con la petizione *Light the Light*. Sotto c'è un foglio stampato.

Jez lo guarda e legge ad alta voce: «I sottoscritti dichiarano formalmente che, al ricevimento della somma concordata di mille sterline, verranno consegnate le copie fisiche e digitali del video dove la signorina Ethel Leatherhead...».

Questo a Boydy devo concederlo. Se la cava bene coi documenti legali. La voce di Jesmond, mentre legge il foglio, suona piatta. Sono certa che non capisce nemmeno una parola, e la cosa non mi sorprende.

«… in aggiunta si rinuncerà a qualsiasi futura pretesa, morale e legale, nel rispetto della già citata proprietà intellettuale. Firmato…»

Si ferma e guarda fisso Boydy.

«E questo cosa sarebbe? Un documento legale, eh? Be', te lo puoi sognare che firmo 'sta roba. È solo un pezzo di carta.»

«Ecco, abbiamo avuto qualche problema con la stampante. Non è la versione corretta.»

«E allora torna quando c'hai la roba giusta. Anzi, sai cosa? Risparmiati il viaggio, Boyd, tanto non firmo un… uff! Che DIAVOLO?»

Quando vedo la nostra unica possibilità volatilizzarsi mentre Jesmond fa per chiudere la porta, agisco d'istinto. Mi scaglio con tutta la mia forza contro la schiena di Boydy. Lui, a sua volta, investe Jesmond Knight e i due rotolano oltre la soglia, uno addosso all'altro. Colgo l'occasione e li scavalco, entrando nell'ingresso.

«Sei completamente matto, Boyd? Che fai? Levati di dosso.»

«Scusa, Jez, scusa… Sono solo… inciampato, ecco.»

«Inciampato? E sopra che roba, si può sapere? Esci di qua, idiota ciccione!» Jesmond lo spinge fuori dalla porta e la chiude di botto, poi resta lì a fissare il legno, scuotendo la testa.

Sono dentro. Sono davvero dentro la casa dei Knight, e sono invisibile, in piedi sulle mattonelle scure dell'atrio a fissare Jesmond, cercando di capire in che direzione vuole andare, per spostarmi dalla sua traiettoria.

La casa è piuttosto grande, e l'atrio è spazioso. Le scale sono sulla destra e c'è un appendiabiti pieno di cappotti alle mie spalle.

Jesmond si volta. A meno che non voglia prendere un cappotto, sono in salvo. Mi supera e raggiunge una delle porte che si affacciano nell'ingresso. Quando la apre, ne esce un turbinio di pelliccia beige: Maggie, l'enorme Tosa giapponese, parte di gran carriera e corre dritto verso di me.

«Ehi! Maggie! Datti una calmata. Che problema c'hai?»

Il cane si è fermato a circa mezzo metro da me e annusa l'aria, guardando a destra e a sinistra con la sua enorme testa, poi la china sul pavimento e si avvicina ancora un po', ringhiando.

Non posso fare altro che restarmene completamente immobile. Guardo in basso e, terrorizzata, noto che ho lasciato con i piedi nudi tenui tracce di sudore sulle mattonelle.

«Che problema c'hai, Maggie? Vieni qui. Vieni, ho detto!»

Il cane non si sposta, ma continua ad annusare e ringhiare.

La voce di Jesmond s'inasprisce. «Maggie! Vieni qui! *Subito!*»

Nessuna reazione. Jesmond avanza deciso e afferra Maggie per il collare. È abbastanza vicino da sentirmi respirare, così trattengo il fiato mentre lo guardo trascinare l'enorme segugio lontano dall'appendiabiti e da me. Quando il cane soccombe, riluttante, Jesmond gli assesta un poderoso calcio nel sedere.

«Stupido di un cane. Va' lì dentro!»

Sento la voce del padre di Jesmond appena oltre la porta, che lo rimbrotta in tono gentile: «Jesmond, figliolo. Fa' il bravo».

La porta sbatte alle loro spalle e mi ritrovo tutta sola nell'ingresso. Ora devo aspettare la prossima mossa di Boydy.

Come previsto dal piano, esattamente cinque minuti dopo sento lo squillo di un cellulare. Il primo è quello di Jesmond. Boydy ha i numeri di entrambi i gemelli, recuperati da una lista girata in classe l'anno scorso, e sento Jesmond che risponde al di là della porta con un brusco «Chi è?».

Boydy riaggancia subito. Ha impostato la chiamata anonima.

Tutto qui. L'unico scopo è far squillare il cellulare di Jesmond in modo che io possa localizzarlo, e ha funzionato. Lo tiene con sé. Non è l'ideale, certo, però me lo aspettavo.

Ora tocca al telefono di Jarrow. Lo sento suonare di sopra, una suoneria allegra, una specie di ballata marinaresca. Trilla, trilla, trilla ancora e poi smette. Fantastico!

Questo mi mette di buon umore. Significa che almeno uno dei miei compiti è diventato un po' più semplice. Mi rilasso un po', e mi siedo sul terzo gradino delle scale per calmare il respiro. Cerco di chiudere gli occhi, dimenticando che le mie palpebre sono trasparenti, così respiro dal naso e, anche se ci vedo lo stesso, la sensazione di tenere gli occhi chiusi è comunque rilassante.

Cerco di orientarmi. La casa dei Knight non è come l'avevo immaginata; questo mi rassicura e allo stesso tempo mi disturba.

Me l'aspettavo disordinata e sporca, perché è quello che sembra vista da fuori; però non lo è.

Escluse le mattonelle rosso scuro del pavimento, tutto nell'ingresso è di un bianco splendente: le pareti, il battiscopa, il termosifone, il soffitto. Le colonne alla base delle scale sono bianche; il tappeto sui gradini è di un bianco crema. In fondo alla stanza c'è uno specchio e di fronte allo specchio un grosso mazzo di gigli bianchi in un vaso bianco.

Disposti in fila lungo la parete ci sono i ritratti fotografici dell'intero clan Knight: quel genere di ritratto da studio in cui tutti indossano jeans e maglietta bianca. Poi ci sono Jesmond e Jarrow, perfetti come due modelli.

C'è ovunque profumo di giglio, cera per pavimenti e disinfettante. È il genere di posto che raccontano nel reality *Hello! – Dove vivono le star del cinema*.

Appesa alla parete c'è una vetrinetta con le ante di vetro, una luce all'interno e una targa d'ottone con scritto: "Il miglior amico dell'uomo dalla A alla Z". Disposti su quattro ripiani ci sono tanti minuscoli cani di ceramica, una statuina per ogni razza, ciascuno con la sua piccola etichetta d'ottone: Affenpinscher, Border Collie, Chihuahua. Ci sono persino razze chiamate Xoloitzcuintle e Zuchon. È il classico oggetto di cui si fa collezione, così ripenso al sapone del cane acquistato da Tommy Knight e capisco che dev'essere opera sua.

Più in là ci sono le porte delle altre stanze della casa; immagino la cucina, il soggiorno e via dicendo. È da lì che arriva il brusio della televisione, dove Jesmond è scomparso.

Scenderò più tardi a controllare. Ora voglio cercare il telefono di Jarrow.

Il piano prevede che, se lei non risponde, Boydy faccia una seconda chiamata per aiutarmi nella ricerca. Se trovo il telefono, attivo subito la modalità silenziosa perché non riprenda a squillare inutilmente.

Visto? Il piano fila via liscio.

Capitolo sessantasei

Al piano di sopra, esattamente due minuti dopo, il telefono riprende a squillare: la ballata marinaresca ora è più forte e facile da localizzare, arriva dalla stanza di fronte a me.

Non oso ancora aprire la porta, Jarrow potrebbe sentire la suoneria dal piano di sotto e salire di corsa in cerca del telefono.

Mi sento stranamente tranquilla, mentre resto lì in attesa che smetta di suonare, poi apro la porta. La luce nella stanza è accesa, ma lo schermo del cellulare è ancora illuminato per la chiamata in arrivo. È sulla scrivania di fronte a me; mi avvicino e quasi mi scappa un urlo quando vedo l'enorme sedia girevole che ruota su se stessa e Jarrow che balza in piedi, con indosso una tuta intera extralarge con le strisce da zebra. Si sfila gli auricolari mentre allunga la mano verso il telefono per inserire la password.

Guarda perplessa lo schermo per qualche secondo e vede che c'è scritto "numero sconosciuto" (o almeno, così dovrebbe essere, se Boydy ha fatto tutto come si deve), rimette il cellulare al suo posto e torna a sedersi, prende il portatile e si volta di nuovo.

Mi offre l'opportunità su un piatto d'argento. Il telefono è sbloccato e resterà così finché non torna in standby, cosa che di solito succede dopo mezzo minuto senza che nessuno lo tocchi.

Devo solo attraversare la stanza fino alla scrivania e sfiorare lo schermo per impedire che si blocchi, così potrò accedere ai dati sul telefono di Jarrow.

Quattro passi, direi. Forse cinque.

Sto andando troppo piano. Al terzo passo scricchiola un'asse del pavimento e non sono nemmeno sicura che Jarrow abbia rimesso gli auricolari: lo schienale della sedia è troppo alto. Non posso aspettare, però: lo schermo sta per spegnersi, si prepara a tornare in stand-by. Faccio un lungo passo avanti, l'asse scricchiola di nuovo e nell'istante in cui tocco lo schermo per riattivarlo, la sedia ruota ancora su se stessa.

«Jez?» domanda Jarrow.

Deve aver sentito qualcosa. Resto completamente immobile, come mai mi era capitato in tutta la vita, e trattengo il respiro finché lei non si volta di nuovo; anche se solo per metà.

Non può vedermi, ovvio. Ma se faccio qualcosa vedrà cambiare lo schermo del telefono. Non lo sta guardando, ma potrebbe accorgersene.

Non mi muovo. Sono circa a un metro da Jarrow, ho il dito sospeso sopra il telefono, per essere pronta a sfiorarlo evitando che vada in stand-by, e in tutto questo non tolgo gli occhi di dosso a lei nel caso faccia un movimento improvviso nella mia direzione.

La tranquillità di poco fa è svanita nel nulla: sono così tesa che mi si potrebbe suonare come una corda di violino.

Resto in quella posizione per *nove minuti interi*. Lo so perché sullo schermo del telefono di Jarrow c'è un orologio che mostra lo scorrere del tempo. Alla fine, mentre il crampo che mi è partito dal piede sinistro si estende a tutta la gamba, Jarrow sospira. Chiude di scatto il portatile, si toglie gli auricolari e si alza. Sta per prendere il cellulare, così tolgo la mano, ma poi cambia idea e lo lascia sulla scrivania.

Non appena esce dalla stanza, riapro il portatile e, se non fossi così nervosa, probabilmente mi concederei un piccolo balletto di gioia, perché lo schermo si riattiva subito, il che vuol dire che non mi serve una password per accedere ai documenti di Jarrow.

Bingo. Yeah. Magnifico. Eccetera.

Ora però dacci dentro, Ethel.

Prendo il suo telefono tra le mani e comincio a cercare il filmato.

Non è un modello che conosco bene. Ho il vecchio iPhone della nonna, e con quello me la cavo. Ma questo è un Android. Gran parte delle app hanno le stesse icone, però, quindi capisco in fretta dove si trovano i video.

Eccolo! Il filmato registrato nel teatro della scuola glielo hanno girato su un'app di condivisione video, e la cosa più semplice è cancellare l'intera app con tutti i dati. Il video completo, con le immagini prese dalla telecamera di sorveglianza e i primi piani, è stato memorizzato in un'altra app che finisce dritta nel cestino.

Controllo in Impostazioni e c'è un file cancellato ancora disponibile. Lo elimino definitivamente.

Cerco allegati video nelle e-mail. Niente.

Ora tocca al portatile. È un Mac, quindi c'è iMovie. Ancora nulla: il montaggio non l'hanno fatto qui.

E-mail: eccolo di nuovo! Inviato due giorni fa. *Clic*, cancellato.

iTunes: un'altra copia scaricata dall'e-mail. *Clic*, cancellata.

Ok, ok, dove altro potrebbe essere?

Magari c'è una copia in un video player? Non saprei, però apro QuickTime a scanso di equivoci: non c'è nulla. Bene.

Poi faccio una ricerca generale in tutto il computer. Ancora nulla. Sempre meglio.

Mi resta solo da svuotare il cestino.

Sento dei passi su per le scale, e Jarrow che dice: «'Notte, Jez! 'Notte, paparino!». La sua voce sembra diversa dal solito: più dolce, e l'accento Geordie è quasi sparito.

(Paparino? Jarrow non mi sembra il genere di ragazza che chiama suo padre "paparino". "Papà" è più nel suo stile, al massimo "pa'", di sicuro non "paparino".)

Oh, Jarrow, penso. *Perché proprio oggi devi andare a letto presto?*

Come si svuota il cestino? Provo a cliccare freneticamente su tutto quello che trovo, mentre la barra di avanzamento mi dice che c'è una valanga di file da cancellare, che ci vorrà una vita, e sapete una cosa? Non riesco a capire come faccia Jarrow Knight a non vedere il suo portatile che si chiude inspiegabilmente da solo mentre lei entra nella stanza, e a non sentire un respiro affannato...

Comunque ce l'ho fatta.

La prima fase, quantomeno.

Adesso devo occuparmi di Jesmond. Poi devo controllare il computer di famiglia, se ne hanno uno. E vedermela con un cane enorme e mal addestrato.

Che spasso, eh?

Capitolo sessantasette

Sono tornata al piano di sotto, nell'ingresso bianco, e l'unica porta aperta è quella che conduce nella spaziosa cucina con il tavolo da pranzo, anche questa realizzata con la stessa combinazione incolore: grigio pallido e sabbia. È una stanza a forma di L e c'è una porta a doppio battente che dà sul soggiorno. Le luci sono spente, eccetto una lampadina sopra i fornelli che immerge la sala in un bagliore giallastro.

In un angolo c'è un grosso schermo appoggiato sul piano di lavoro, circondato da fogli di carta e altri oggetti: è il computer di casa.

Mi avvicino in punta di piedi, quando sento Maggie ringhiare e un istante dopo la vedo che arriva dal soggiorno e balza dritta verso di me, con un filo di bava che le pende dalle labbra.

«Maggie! Maggie! Oh, per l'amor del cielo, quel cane!» È la voce di Tommy Knight, ma non ha un tono arrabbiato. È più divertito e spazientito, direi.

Quando Maggie inchioda davanti a me sulle mattonelle bianche della cucina e si mette a ringhiare ai miei piedi, arrabbiata e perplessa, resto paralizzata dal terrore.

«Che cosa c'è che non va, me lo spieghi?»

Osservo meglio Tommy Knight, ora che non è nascosto dietro una porta. È alto, ha le spalle leggermente curve e porta un paio di jeans con la vita alta, come un vecchio, anche se non dev'essere un padre più anziano della media. Indossa una camicia a quadri infilata nei pantaloni e ha tante piccole rughe attorno agli occhi socchiusi, come se stesse ridendo per una barzelletta che ha sentito solo lui. Pensavo che il padre dei gemelli Knight sarebbe stato due volte più spaventoso di loro, invece non è così. In realtà si capisce che sono parenti solo dai capelli biondo platino.

Procede dritto verso di me, così faccio qualche passo indietro. Maggie mi segue, fiutando sul pavimento. Sono sicura che mi attaccherebbe, se potesse vedermi, ma continua a guardarsi attorno, confusa e frastornata perché non trova niente da collegare a ciò che sente col naso.

«Su, bella... fuori!» mormora Tommy Knight, passandomi accanto e andando ad aprire la portafinestra che si affaccia sul giardino dietro casa, ma il cane resta dov'è, emettendo suoni minacciosi dalla gola.

«Dài. Smettila, sciocchina!»

Tommy prende Maggie per il collare e la trascina via, spingendola con gentilezza fuori, e poi richiude la portafinestra di schianto. Il cane si ferma e guaisce contro la barriera di vetro, mentre Tommy si volta, scrollando la testa con aria divertita.

Per la paura, mi è sfuggito un altro po' di gas con un rutto silenzioso.

Tommy annusa l'aria, poi guarda Maggie al di là del vetro. «Bestiaccia puzzolente» borbotta sorridendo. Poi dice ad alta voce: «Jesmond! Che cosa hai dato da mangiare a Maggie?».

Sposta la sedia davanti al computer e si siede, scuotendo il mouse per riattivare lo schermo. È un modello vecchissimo: un Mac direi quasi preistorico. Ne deduco: *Questo è il computer di Tommy, ed è solo suo.* È impossibile che Jesmond o Jarrow lo usino per editare un video, quindi posso ignorarlo senza correre grossi rischi.

Tommy apre la posta elettronica e inizia a scorrere i messaggi in arrivo, apre le e-mail, scrive risposte e sembra aver quasi messo radici sulla sedia.

Mi allontano a passi cauti. Sono attenta a ogni minuscolo suono che produco, dal respiro al rumore leggero dei miei piedi quando li sollevo dalle mattonelle, ma lui non si accorge di nulla.

Nella stanza dove c'è il televisore sento lo squillo di un cellulare.

Mi affaccio sulla soglia. Il portatile di Jesmond è accanto a lui.

Poi succede qualcosa che capovolge il senso di terrore che provavo nei suoi confronti.

«Oh, ciao mamma... No, è andata a letto. Ma sì, sto qui e basta... Quando torni? Mezzanotte? Sarò già a letto... Sì, ti voglio bene anch'io. Buonanotte.»

Sentire questa conversazione trasforma all'improvviso Jesmond Knight da un temibile bruto in... be', un normale tredicenne. "Ti voglio bene anch'io"? Alla sua mamma? Sorrido. Non sono più così spaventata.

Ma è soprattutto il modo in cui parla, proprio come sua sorella. Il pesante accento della provincia è sparito, e ha lasciato posto a qualcosa di molto più dolce. Non elegante, non proprio, ma che va in quella direzione.

Ripensando a Jarrow che chiama suo padre "paparino", comincio a credere di non essere l'unica invisibile qua dentro: c'è qualcosa nei gemelli Knight che è invisibile quanto me.

Sono bloccata qui. Per un'ora resto prigioniera della cucina bianca, mentre Tommy Knight armeggia con il suo computer e Jesmond gioca con il telefono sdraiato sulla poltrona in soggiorno, e poi comincia a fare zapping.

Alla fine Jesmond si rimette seduto, apre il portatile e digita rapidamente la password. Riesco a vedere qualcosa sbirciando da dietro la spalla, ma muove le dita troppo in fretta perché io possa capire che cosa ha scritto.

Sono tanto concentrata che non mi accorgo di suo padre che si avvicina. Per essere un tipo alto, si muove davvero silenziosamente. Riesco a farmi da parte appena in tempo, mentre varca la soglia del soggiorno e mi sfiora con il braccio.

Tommy Knight si ferma. Si tocca l'avambraccio nel punto in cui c'è stato il contatto e si guarda attorno, perplesso, ma poi riprende a camminare ed entra nella stanza, dove si mette a sedere su una poltrona di pelle nera.

«Hai sentito parlare dei cani scomparsi, Jesmond?» domanda Tommy. «C'è un articolo sul sito del *Whitley News Guardian*.»

È il modo in cui lo dice, però, ad attirare la mia attenzione. Sta fissando con insistenza suo figlio, quasi volesse sondare come reagisce. Non è un tentativo casuale di fare conversazione.

Ora, immagino che abbiate fatto anche voi lo stesso collegamento, anche se finora non ne ho parlato perché era solo una sensazione e non ero sicura che fosse importante. La mia sensazione è questa: che i gemelli Knight siano in qualche modo coinvolti nella scomparsa dei cani. Il sospetto mi è nato l'altro giorno in spiaggia, quando ero invisibile e loro si sono presi Lady. Gli eventi della giornata hanno messo tutto in secondo piano, ma il fatto è rimasto lì dentro di me, come un ratto che sgranocchia un cavo elettrico: sgranocchia, sgranocchia, sgranocchia e poi... *zac!*

Jesmond dev'essere un bravo attore, oppure non ha niente a che fare con quella storia. Sembra davvero tranquillo. Non alza quasi lo sguardo dal portatile.

«Mmm? Cani scomparsi? Non saprei, papà.» Poi cambia argomento: astuto. «Ci puoi portare a scuola domani, per favoreee? Abbiamo i bagagli per la gita.»

Ma Tommy non si lascia distrarre.

«Sai, Jesmond... se scoprissi che sei coinvolto in qualche modo, io...»

Jesmond a queste parole solleva il capo. Quale sarà la minaccia in arrivo?

«... ne sarei molto deluso.»

Non risponde. Invece si alza e chiude il portatile. Ma non posso ripetere la prodezza di poco fa, quando ero al piano di sopra con Jarrow; non finché suo padre resta lì seduto.

«Vado a letto, papà. 'Notte» lo saluta Jesmond, e le sopracciglia di Tommy Knight si inarcano per lo stupore.

Jesmond esce dalla stanza, tornando nell'ingresso. Ha il telefono in mano.

Come faccio? La maggior parte dei portatili, se non viene spento, va in stand-by dopo pochi minuti. Devo agire in fretta.

Torno in cucina e apro un poco la portafinestra, cercando di non fare rumore. C'è una catenella di sicurezza nella parte alta della porta: la uso per bloccarla, in modo che possa aprirsi solo di pochi centimetri, poi comincio a provocare Maggie.

«Ehi, Maggie» sussurro. «Sei proprio un orribile, brutto cagnaccio... lo sai?»

Tanto basta. Maggie comincia a ringhiare, abbaiare e guaire, e intanto cerca di infilare il suo enorme muso nello spiraglio tra la porta e lo stipite per capire da dove viene la voce.

Tommy Knight entra subito in cucina, trascinando i piedi; io gli passo accanto e torno in soggiorno.

«Maggie! Fai la brava, cucciola. Come hai fatto ad aprire la porta? Vuoi entrare, vero?»

No, per favore! No!

«Mi dispiace, cucciola. Devi restare lì ancora un po'.
E adesso zitta!»

Pfiu.

Per aprire il portatile di Jesmond mi ci vuole un po'
di tempo. Il problema è che si accende anche il lettore DVD, emettendo luci e ronzii che proseguono anche
quando Tommy Knight torna.

Non so dire con certezza se sia davvero spaventato,
ma si ferma immobile sulla soglia a fissare il portatile.
Lo schermo è aperto per metà, con un'inclinazione di
quarantacinque gradi rispetto alla tastiera, ma diffonde
il suo bagliore nella stanza.

Tommy resta lì per circa dieci secondi – che è un tempo lungo, se provate a contare – poi guarda la cucina
alle sue spalle e la portafinestra che dà sul giardino, si
tocca di nuovo il braccio nel punto in cui ha sfiorato il
mio e il suo sguardo s'incupisce: le due sopracciglia diventano una cosa sola.

Alla fine sospira, torna sulla poltrona e fa scorrere i
canali finché non trova qualcosa che gli piace: un docu-
mentario sugli animali.

Ora sono nei guai. Non riesco a vedere lo schermo
così inclinato, a meno di non mettermi sdraiata sul pavimento.

Ed è quello che faccio. Non posso ripetere tutte le
ricerche che ho fatto sul computer di Jarrow. Non con
quest'angolatura, e ci sono troppi tasti rumorosi da premere.

Resta solo una possibilità: cancellare tutto. Resettare il portatile, ripristinando le opzioni di fabbrica. Con Tommy Knight a due metri da me.

Non può vedere lo schermo da dov'è seduto, il che è un bene, ma schiacciare i tasti senza fare rumore è praticamente impossibile. Se non mi credete, provateci.

Immagino che non vi interessi sapere come si resetta un computer. Bisogna premere una certa combinazione di tasti, continuare a premerli finché non appare la schermata DOS (sostanzialmente un mucchio di comandi operativi) e poi premere Cancella e Invio finché non sparisce tutto.

Il che andrebbe bene e sarebbe (più o meno) fattibile – anche sdraiata su un tappeto bianco, sbirciando lo schermo da terra e premendo i tasti *con estrema delicatezza* per non farmi sentire da un uomo che si trova a soli due metri da me – se non fosse che il disco rigido mentre cancella i dati è parecchio rumoroso ed emette un brusio che la televisione non riuscirà mai a coprire, soprattutto se l'uomo in questione è già in ansia.

Devo premere il comando Canc, e so che questo formatterà il disco rigido.

Devo farlo e basta.

Tengo un dito sospeso sopra il tasto e alla fine mi decido. Il disco si attiva con un ronzio e un sonoro *shhhhh*; Tommy Knight si volta di scatto e balza in piedi.

Dev'essere la vicinanza del mio naso al tappeto. Ma di sicuro non potevo scegliere momento peggiore per starnutire.

Capitolo sessantotto

È stata una cosa piccola, non uno di quegli enormi *eeetciù* da film comico. Direi più un piccolo starnuto da panda: *etcì*.

Però è stato senza dubbio uno starnuto.

Tommy Knight non si muove. Non ho idea di cosa stia facendo perché sono accucciata dietro il tavolino e non oso alzare lo sguardo.

Lo so, lo so: non ha alcun senso. Non può vedermi, quindi perché restare accucciata? Penso che dipenda da qualcosa che è radicato dentro di noi, una specie di istinto: se ti senti minacciato, in pericolo, ti rannicchi sulla difensiva, ed è proprio quello che sto facendo.

All'inizio, perlomeno.

Dopo qualche istante, capisco che è un comportamento stupido, così alzo la testa. Mi sento di nuovo pizzicare il naso.

Tommy Knight è ancora lì fermo, con la testa inclinata, sospettoso e in estrema allerta.

In quel momento arriva il secondo starnuto, e siccome l'ho trattenuto con tutta me stessa esplode all'improvviso: non sembra tanto il suono di uno starnuto, somiglia più a uno spruzzo, mentre una pioggerella sottile atterra sul portatile diventando subito visibile.

Tommy Knight si avvicina circospetto, solleva il computer e lo osserva. Sta ancora ronzando, mentre il sistema operativo cancella tutto. Lo tiene con una mano, mentre con l'altra fa scivolare le dita sullo spruzzo che ne ricopre la superficie. Si strofina i polpastrelli e li annusa. Rimette il portatile al suo posto sul tavolino, con delicatezza, poi torna in cucina, dove lo sento armeggiare con la catenella per far rientrare il cane.

Colgo l'occasione al volo e mi precipito nell'ingresso, chiudendomi la porta alle spalle, proprio mentre Maggie sfreccia in soggiorno con Tommy al seguito che le dice: «Che cos'è, Maggie? Vai a cercarlo, su. Cercalo!».

Sento la doccia al piano di sopra. Jesmond è in bagno, e il suo telefono sarà in camera. È il momento di agire, così salgo di corsa le scale, senza preoccuparmi del suono che fanno i miei piedi sullo spesso tappeto che copre i gradini.

Apro la porta della camera da letto. La prima cosa che mi colpisce è l'odore. Non di sporco. È una strana combinazione. Di sicuro c'è un profumo. Forse della Lynx? Probabilmente qualcosa di più costoso. Ma sento anche altro. Qualcosa che... sa di terra e di animali.

Scruto in fretta la stanza per capire se Jesmond ha lasciato il telefono sul letto o sulla scrivania.

A quanto pare no.

C'è un grande letto a due piazze appoggiato contro

la parete, ci giro attorno e scopro da dove proviene l'odore di animale.

Da un animale.

Non vedo il cane all'inizio, solo il piccolo trasportino nel quale è stato rinchiuso. Poi si avvicina alle sbarre e riesco a scorgerlo. Un piccolo Yorkshire terrier.

Al quale manca una zampa.

È Geoffrey della signora Abercrombie. Non ci sono dubbi.

Emette un piccolo guaito. Ha riconosciuto il mio odore? È un guaito triste, e questo mi fa provare una sensazione del tutto inedita: sono dispiaciuta per l'odioso Geoffrey.

Come ha fatto il padre dei gemelli a non accorgersene? Immagino che introdurre in casa un trasportino senza farsi notare non sia poi così difficile, e forse i genitori di Jesmond e Jarrow non entrano spesso nella camera dei figli. In effetti con quell'odore mi terrei anch'io alla larga. Anche se, considerato la conversazione che ho sentito in soggiorno, Tommy Knight sospetta qualcosa.

Ma ora lasciamo perdere il cane. Non sono qui per lui.

Devo trovare il telefono, il telefono, il telefono. Dov'è?

Ci sono i jeans di Jesmond, buttati alla rinfusa sul letto, così frugo nelle tasche. Niente, qui non c'è.

Sento lo scatto della serratura del bagno sul pianerottolo e prima che io possa sgattaiolare fuori, eccolo lì, nella sua stanza, con un telo attorno alla vita e un altro per asciugare i capelli, mentre con una mano tiene il telefono e parla. Si sente di nuovo l'accento Geordie.

«Tutto come previsto, mia cara, tutto come previsto. C'hai solo una cosa da fare: passi a prenderlo, lo riporti e ti becchi la ricompensa. A te vengono dieci sterline. Però devi venire domani mattina presto: qui non ci può stare, c'abbiamo la gita, sai? Allora, che ne dici? Già... alla grande. Ci si vede, Mynt.»

Mynt? *Aramynta Fell?* Si è fatta coinvolgere in questa storia?

Jesmond lancia il telefono sul letto.

Sono dall'altra parte della stanza, e resto più immobile che posso, terrorizzata da ciò che sta per succedere...

OMMIODDIO! Ha lasciato cadere l'asciugamano che portava in vita e adesso sto fissando il sedere nudo e bianco di Jesmond Knight: è così imbarazzante. Non riesco a chiudere gli occhi, perciò mi volto e...

OMMIODDIO, ancora peggio! Lo sguardo mi cade sullo specchio, ed ecco Jesmond visto di fronte.

Una voce grida dentro la mia testa: *Rimettiti i vestiti!*

Invece lui sfila avanti e indietro per la stanza e si ferma davanti allo specchio a gonfiare i muscoli. Poi si mette in posa come un culturista: piega le braccia con i pugni rivolti verso il basso e il petto in fuori, e sono così scioccata che devo girarmi, anche se non posso perderlo di vista, perché se si avvicina devo riuscire a evitarlo.

Dovrei essere al sicuro. Ho trovato un angolino vicino alle tende, fuori dai piedi, e la stanza è piuttosto grande. È solo che *non voglio* più vedere Jesmond Knight nudo, soprattutto quando – *oh mamma!* – si china per prendere un paio di pantaloncini da sotto il letto.

Non so come, ma nonostante il disgusto resto abbastanza lucida per stabilire le mosse successive. Non ho molte alternative. Devo aspettare che si addormenti, poi prendere il suo telefono e darmela a gambe dalla porta sul retro. O dalla porta d'ingresso; a questo punto poco importa. Sarei pronta a saltare giù dalla finestra per non vedere più il sedere di Jesmond Knight.

Poi sento il guaito di Geoffrey nel suo trasportino e all'improvviso mi monta la rabbia. Come hanno osato fare una cosa del genere? Rapire dei cani per una ricompensa in denaro? *Ma fanno sul serio?*

Jesmond annusa l'aria.

«Accidenti, cagnaccio» dice, fissando il trasportino. «Puzzi di brutto.» Poi il tono si ammorbidisce un po'. «Vuoi uscire?»

Oh no. Per favore, no. Nel vedere Jesmond che apre il trasportino, comincio ad agitarmi, ma quando Geoffrey esce trotterellando sulle sue tre zampe mi ignora, e invece si mette ad annusare attorno al letto.

Alla fine, con mio grande sollievo, Jesmond si mette i pantaloncini del pigiama. Non mi sono accorta, però, che sto calpestando la maglietta abbandonata sul tappeto. Si china a raccoglierla e per riuscire a sfilarla da sotto il mio piede deve tirare con forza: dev'essere una scena parecchio strana da vedere. Come se la manica del pigiama fosse incollata al pavimento con una gomma da masticare.

Jesmond ha lo stesso sguardo perplesso di suo padre qualche minuto fa, quando ha sentito il mio starnuto.

So che non c'è ragione per cui debba pensare che sono qui nella sua camera. Ma, al contrario di suo padre, lui sa che l'invisibilità è possibile.

È in piedi al centro della stanza, con il pigiama in mano, e sta fissando il tappeto nel punto in cui la manica sembrava essersi incollata.

Seguo il suo sguardo e vedo anch'io quello che vede lui.

Nel punto in cui mi trovo, impresse nel folto tappeto, ci sono due impronte perfette.

Capitolo sessantanove

Trascorrono pochi secondi, eppure sembra un anno.

«Ciao, Violetta Parr degli *Incredibili*» mi saluta, con un mezzo sorriso sulle labbra.

Poi mi lancia addosso la maglia del pigiama. Mi resta appesa alla spalla per un istante prima di scivolare sul pavimento.

Jesmond impreca sottovoce e quello che accade subito dopo avviene tanto in fretta che riesco a malapena a tenerne traccia.

Si scaraventa in avanti, con le braccia tese, mentre io mi getto di lato e mi avvicino al letto.

«So che sei lì» sussurra, mentre i suoi occhi scrutano il tappeto in cerca delle mie impronte.

Nel frattempo Geoffrey ha finito di annusare sul pavimento e si mette seduto in mezzo alla stanza, arcuando la schiena come se volesse fare la cacca.

Jesmond se ne accorge e per un attimo si distrae.

«No, no, no. Oh, piccolo puzzo...»

Le parole gli restano in gola, mentre si prepara a sferrare un calcio, e non sembra che voglia farlo con delicatezza. Sarà un calcio poderoso: dall'inclinazione del piede si capisce quanta forza ci sta mettendo.

Non posso lasciare che faccia del male a Geoffrey, così grido: «Ehi!», e spingo Jesmond con tutta la mia forza, lui perde l'equilibrio e va a sbattere con la testa contro la toeletta, spargendo deodoranti e gel per capelli in tutta la stanza.

Ho pochi istanti per agire. Mi chino e afferro il telefono dal letto. Jesmond lo vede levarsi in aria come per magia, e cerca di alzarsi in piedi quando Geoffrey – il piccolo, audace, collerico Geoffrey – emette un minuscolo ringhio furibondo e si scaraventa sulle sue caviglie.

È il diversivo di cui avevo bisogno. Corro verso la porta, la spalanco e mi precipito giù per le scale, seguita tre secondi dopo da Jesmond, che chiama sua sorella, imprecando contro me e Geoffrey, che si scaglia di nuovo addosso al suo carceriere, affondando i denti nel polpaccio di Jesmond e facendolo urlare per il dolore.

Quando arrivo in fondo alle scale, la camera di Jarrow è già aperta e lei sta gridando: «Che cavolo succede? Sto cercando di dormire!».

Ma poi nota il trambusto, forse si accorge del misterioso cellulare volante, e così si unisce all'inseguimento.

Esco dal portone d'ingresso o vado sul retro?

La porta d'ingresso è più vicina, ma quando l'ho quasi raggiunta mi accorgo che al posto delle maledettissime chiavi c'è un pannello con tastierino numerico, così faccio dietrofront, schivando Jesmond che è appena arrivato in fondo alle scale inseguito da uno Yorkshire terrier con tre zampe, decisamente furibondo.

«Dammelo» strilla con rabbia, cercando di afferrare il telefono che sta fluttuando nell'ingresso.

Mentre tento di filarmela via, il tappeto sotto i miei piedi scivola sul pavimento lustro, così tendo il braccio per non perdere l'equilibrio. La mano va a sbattere contro la vetrinetta dei cani di porcellana, che crolla a terra con un gran rumore di vetri, schegge e cagnetti che piovono ovunque.

Sono scalza, ma non ho tempo di preoccuparmene. Procedo a fatica, mi si infilza un frammento di Levriero irlandese nel calcagno e alla fine raggiungo zoppicando la porta della cucina.

Maggie nel frattempo si è unita all'inseguimento, ma non ha ancora capito chi deve attaccare. Decide di puntare su Geoffrey, che però non si tira indietro. Come si addice a ogni piccolo e coraggioso cuor di leone, spara una tale raffica di guaiti che per un paio di secondi il grosso cane – che potrebbe papparselo senza nemmeno bisogno di masticare – arretra di qualche passo.

È il tempo di cui avevo bisogno: esco dalla porta sul retro e me la do a gambe levate nel giardino, inseguita da Jesmond Knight che sbraita, dallo Yorkshire terrier ringhiante (che riesce a piazzare un paio di morsi alle caviglie di Jesmond) e da un enorme cerbero sbavante. Dietro di loro c'è Jarrow e per ultimo Tommy, che grida: «CHE COSA succede? Jarrow? Jesmond? Chi ha rotto la vetrinetta? E da dove salta fuori quest'altro cane?».

E poi c'è Boydy.

Boydy? Non ho idea di cosa ci facesse in giardino, ma sta correndo accanto a me. Accendo il telefono senza rallentare, in modo che la luce dello schermo gli mostri dove sono.

«Presto, c'è un buco nella recinzione. Seguimi!» mi dice ansimando, ma i chili di troppo lo rallentano.

Lo supero, puntando nella direzione che immagino voglia indicarmi. C'è uno spazio vuoto tra due cespugli e un pezzo di recinzione rotta; senza nemmeno guardarmi alle spalle lo attraverso, ma poi devo fermarmi perché non posso abbandonarlo.

«Dài, Boydy!» grido dal buco.

Ce l'ha quasi fatta e si tuffa a terra proprio mentre Maggie fa un ultimo balzo ringhiando.

Boydy urla mentre i denti del cane gli penetrano nei jeans e gli affondano nel sedere. Riesco a vedere Jesmond che si avvicina, sta per afferrare le caviglie di Boydy, quando Geoffrey morde di nuovo, questa volta la mano tesa di Jesmond, facendolo gridare.

Ho preso la mano di Boydy e tiro più forte che posso, mentre lui prende a calci Maggie. Per un istante si sentono solo due cani ringhianti e noi che ansimiamo, poi Maggie molla la presa e si prepara a un nuovo attacco.

Boydy non aspettava altro. Scalciando per un'ultima, disperata volta, mi raggiunge dall'altra parte della recinzione. Ho raccolto da terra una delle assi cadute e sono pronta, come un giocatore di baseball che attende il lancio della palla.

Poco dopo la testa di Maggie sbuca dalla fenditura e io uso l'asse per colpirla con tutta la forza che ho. Il cane emette un ululato sofferente, ma cerca ancora di superare la staccionata, tanto che mi ritrovo a dire: «Mi spiace, Maggie, mi spiace» mentre colpisco di nuovo.

Crolla a terra e per un orribile istante penso di averla uccisa, ma poi, ancora intontita, Maggie alza la sua enorme testa e si allontana, sconfitta e sanguinante, ma viva.

L'abbaiare di Geoffrey non si è ancora spento però si fa più distante, ormai lontano dalla recinzione, diretto verso la casa.

Boydy è sdraiato accanto a me, ma invece di lamentarsi mi chiede: «Ce l'hai?».

Annuisco.

Non mi vede annuire. «Allora, ce l'hai fatta?»

«Missione compiuta!»

Gli metto il cellulare in mano e lui sorride, poi si lamenta per il dolore. Dall'altra parte della staccionata... nulla. Niente grida, niente minacce. Sembra che non ci sia più nessuno.

«Devono essere usciti dall'altra parte. Saranno qua in un baleno» dico.

Capitolo settanta

Boydy si rimette in piedi a fatica e ci arrampichiamo sul muretto del giardino della casa accanto. Ho il calcagno dolorante nel punto in cui ho pestato il cane di porcellana e mi chino a sfilare una scheggia dalla pelle. Il piede sanguina, ma non troppo.

Due minuti dopo, gementi e senza fiato, entriamo nel cortile di casa mia dalla porta sul retro, appena prima che si sentano dei passi risuonare nel vicolo.

«Abita qui attorno. Dev'essere una di queste case» sento che Jarrow sta dicendo.

Ma non sanno quale. Provano a spingere tutte le porte ma nessuna si apre; di certo non la mia.

No... la mia è chiusa a chiave. Di loro non devo più preoccuparmi.

L'unica cosa che posso ancora temere si trova alle mie spalle.

La nonna. È sui gradini di casa insieme a Lady.

«Elliot? Oh santo cielo, che cosa ti è successo? E dov'è Ethel? Ero molto preoccupata. Stavo per chiamare la polizia. Hai visto l'ora?»

All'inizio mi sembra strano che chieda a Boydy dove sono... poi ricordo.

Lei non può vedermi.

Capitolo settantuno

Questo a Boydy devo riconoscerlo. Mentire sotto pressione: non è da tutti essere tanto bravi a soli tredici anni. La storia che si è inventato è così improbabile che sono rimasta lì a bocca spalancata, invisibile, ad ascoltare il suo fluente raggiro.

«Ah, per fortuna è sveglia! Ecco... non volevo disturbare. Con Ethel tutto a posto, è solo che... ehm... non sta tanto bene ed è andata a dormire nella camera degli ospiti, a casa mia.»

Sono in piedi accanto a lui mentre lo racconta, e il mio sguardo passa dall'una all'altro.

«Faresti meglio a entrare» dice la nonna.

Non gli crede, ci scommetto. Non ancora.

Seguo Boydy in cucina, e rimango in un angolo a osservare il tutto. Questa volta Lady non dà segni di agitazione, anche se vedo che arriccia il naso nell'avvertire la mia presenza. Poi se ne va in salotto.

La luce rende più evidenti le ferite di Boydy. Il retro dei jeans è strappato e inzuppato di sangue.

«Togliti i pantaloni» ordina la nonna. «Hai bisogno

di una bella pulita, e nel frattempo puoi spiegarmi che cosa è successo.»

Fino a oggi ero quasi arrivata ai tredici anni di età senza mai essere costretta a vedere il sedere nudo di un ragazzo. Ora me ne toccano due nell'arco di una sera.

Che fortuna.

«Come hai fatto a conciarti così?» domanda la nonna in tono molto gentile.

Le ferite hanno un brutto aspetto. Ci sono segni di morsi nella parte alta della coscia e un taglio sul sedere grosso e pallido. Mentre la nonna prende cotone e un boccettino di amamelide, Boydy si china sul tavolo. Le risponde senza voltarsi.

«Mi ha assalito un cane nel vialetto.»

«Santo cielo. Dobbiamo chiamare la polizia! È stata un'aggressione seria.»

«Ehm, no... non lo faccia!» Ha un tono disperato.

«Perché non dovrei, Elliot?»

«È che...»

Mi sembra di sentire gli ingranaggi che si muovono dentro la sua testa, mentre cerca una soluzione così, su due piedi.

«È che... ho preso una scorciatoia e sono passato nel giardino dei vicini, e c'era un cane da guardia!» Sembra molto compiaciuto della balla che si è inventato, così prosegue: «Il fatto è che stavo venendo qui a spiegarle di Eff – ahi, pizzica! – perché la mamma mi ha detto che devo assumermi le mie responsabilità».

Ottimo. Molto astuto. Fare appello all'ordine impo-
sto da un adulto responsabile.

«Quali responsabilità, Elliot?»

«Secondo me... anzi, non secondo me... ecco, ha bevuto un po' troppo. Ahiiii!»

Ehi, grazie tante, Boydy. Grazie un milione di mi-
liardi.

«Ha bevuto alcolici? Oh, Elliot, oh no, no, no.»

Ora lo so, di tutte le cose che si possono dire alla nonna, questa è forse la peggiore, visto com'è andata con la
mamma. È sbiancata e resta lì a scuotere la testa con il
boccettino di amamelide in mano.

«Mi dispiace, signora Leatherhead. È stata solo una
birra. Non le è nemmeno piaciuta, ma poi ha vomitato
e mia madre l'ha messa a letto.»

«E dove l'ha presa, la birra? Gliel'hai data tu?» La
nonna prosegue il suo intervento da infermiera metten-
doci un po' di forza.

«Non lo so, signora, auuuuuhhh! Ha bevuto solo lei.
Noi abbiamo ordinato Sprite e Fanta. Mi dispiace molto. Avrei dovuto fermarla. Ahia!»

Bene, sto pensando. *Sono contenta che ti faccia male.* È
già abbastanza brutto che abbia mentito sul fatto che
ho bevuto alcolici. Tanto per cominciare, li trovo disgu-
stosi. (Non ho mai bevuto nulla, in realtà, mi è bastato
annusare il vino per decidere che non lo assaggerò mai.
Perché bere un succo di frutta andato a male? Non saprei come altro descriverlo.) Peraltro non capisco: perché Boydy ha scelto *proprio* l'alcol? Poteva dire che ho

esagerato con la pizza. Voglio dire, una fetta al salame piccante, troppi funghi e mi è tornato su tutto, così mi hanno messa a letto.

Ha troppa immaginazione, è questo il problema di Boydy.

La nonna ha preso un cerotto e lo sta applicando sul suo sedere ferito.

«Sinceramente, Boydy: sono stupita e delusa. Ti facevo molto più responsabile. Anche se apprezzo il gesto di venire a dirmelo di persona. Ecco fatto, sei tutto incerottato. Ora è troppo tardi, chiamerò tua madre domani mattina. E riferisci a Ethel che voglio vederla prima che vada a scuola.»

Boydy, con mio grande sollievo, si è tirato su i pantaloni e avanza zoppicando verso la porta.

La nonna ci dà la schiena e intanto mette in ordine le medicine.

Boydy sfila il telefono di Jesmond dalla tasca dei jeans e me lo mostra. Lo indica, poi indica se stesso e fa un gesto con la mano per dire che cancellerà tutto.

Vuole formattarlo. Bene. In effetti è l'unica cosa che si può fare senza password: cancellare tutti i dati in memoria, fare tabula rasa.

Poi recupera il mio, di cellulare – glielo avevo affidato prima della missione –, e lo mette dove la nonna non può vederlo, dietro il tostapane.

«Grazie, signora Leatherhead. E... ehm, mi dispiace.»

«Arrivederci, Elliot. Chiudi la porta quando esci.»

E se credevo di aver avuto abbastanza emozioni al

cardiopalma per una giornata, quello che è successo dopo ha trasformato gli eventi fin qui narrati in qualcosa di molto simile a una tranquilla serata davanti alla televisione a guardare le passeggiate in campagna di Robson Green.

Sono ancora in cucina e sto cercando di non mettere il peso sul calcagno dolorante.

Ho deciso. È arrivato il momento di condividere con la nonna la faccenda dell'invisibilità.

Posso dimostrarlo, visto che sono invisibile.

Sto solo pensando alle parole giuste da usare: "Ehi, nonna, ti ricordi quando ti ho detto che ero invisibile?". Ma sono ancora... non saprei. Restia? No, non è che sono restia...

Comunque non importa, perché la nonna comincia a parlare con qualcuno che – a quanto pare – è rimasto per tutto il tempo seduto in salotto.

«Tutto a posto. Se n'è andato. Vieni pure.»

Capitolo settantadue

E lui arriva. Il toyboy della nonna, il tipo che ho incontrato all'ingresso del Priory View, entra in cucina e dice: «Che cosa è successo?».

«Ethel rimane a dormire da un amico, stanotte. Non... non è stata molto bene.»

È la prima volta, dal giorno del Priory View, che riesco a dargli un'occhiata come si deve.

«Dobbiamo rimandare, eh?»

«Sì. Potresti tornare domani?»

Il toyboy fa un sorriso gentile. «Certo. Aspetto la tua chiamata.»

L'ultima volta che l'ho visto era elegante: giacca e pantaloni stirati. Ora porta un paio di jeans e una maglietta. Con mia grande sorpresa, noto che ha le braccia pesantemente tatuate, il che mi stupisce. Alla nonna i tatuaggi non vanno *per niente* a genio. Di sicuro non può...

Poi l'uomo si gira. Dalla maglietta vedo spuntare un altro tatuaggio, che sale serpeggiando fino all'attaccatura dei capelli: è un disegno particolare, inconfondibile, un groviglio di edera verde che ho già visto da qualche parte.

Sussulto rumorosamente, lui e la nonna si voltano, ma ciascuno pensa che sia stato l'altro.

Non appena il pensiero prende forma, tutto quadra. L'accento. Non è un accento di Londra. È un accento neozelandese.

Riesco a fare solo una cosa, che richiede TUTTO il mio impegno: concentrarmi abbastanza per riuscire a non dire: "Papà?".

Non posso ignorare il fatto di essere nuda e invisibile. Non è così che voglio essere vista da mio padre per la prima volta dopo dieci anni. Comprensibile, no?

Sento la nonna sulla porta che dice: «Buonanotte, Rick».

Sono ancora in cucina e non ho più mosso un muscolo. Forse non ho nemmeno respirato. Il cuore mi batte forte, veloce quanto i pensieri, e una cosa è certa: non voglio più affrontare il discorso dell'invisibilità, non adesso.

La nonna torna in cucina per spegnere la luce prima di andare a letto. L'orologio digitale del forno diffonde un bagliore azzurro. Sono le 23.45.

Aspetto che la nonna si sistemi in camera sua, poi sgattaiolo al piano di sopra e mi sdraio sul mio letto senza fare rumore.

Un pensiero insistente, che fino a ora ho relegato ai margini della coscienza, diventa più chiaro: non dovrei sentire il formicolio, a questo punto? Quel pizzicore accompagnato da mal di testa che precede la fine dell'invisibilità?

Per il momento respingo il dubbio. Sono esausta. Mentalmente e fisicamente esaurita. E ho qualcosa di nuovo a cui pensare.

Mio padre? Ricky Malcolm?

Continuo a rimuginarci sopra. Una cosa è certa: il suo aspetto esteriore è cambiato, questo non è un mistero. Prima aveva i denti storti, una folta chioma rossa e un'enorme barba disordinata; ora è un uomo pulito e rasato che potrebbe essere un insegnante o qualsiasi altra cosa: tutto fuorché un musicista rock ribelle. La differenza è incredibile: se non fosse per i tatuaggi, non ci crederei.

Apro in silenzio il portatile per cercare su Google qualche fotografia di Ricky Malcolm.

Eccolo: il musicista rock capellone.

Ingrandisco un'immagine dove si esibisce con i capelli raccolti, e riconosco il tatuaggio che ha sul collo. Non ci sono dubbi.

Poi osservo anche gli occhi: lo stesso grigio-azzurro. In questa fotografia guarda verso l'obiettivo; ingrandisco l'immagine finché non comincio a vedere i pixel e gli occhi non sono a grandezza naturale. Poi la faccio ruotare finché non sono allineati, e li fisso a lungo.

È lo stesso sguardo che mi ha rivolto quando abbiamo parlato al Priory View. Ecco perché mi aveva squadrato così: lui sapeva. Sapeva che i suoi occhi erano come i miei e che io ero sua figlia.

Perché non ha detto nulla?

Sono qui sdraiata, e una parte di me sa che è l'ultima occasione di mostrare alla nonna che sono davvero invisibile. Certo, ho registrato il momento in cui *divento* invisibile; il filmato che ho girato in garage è sul mio computer. Ma che cosa dimostra? L'ho guardato e boh, non saprei.

Sto per chiudere il portatile, quando sento un messaggio di posta in arrivo.

Il mittente è thomasknight@ringmail.co.uk. Tommy Knight mi sta scrivendo?

Be', no. Sono Jesmond e Jarrow che usano l'account del padre.

Mlt furba, Violetta invisibile, dobbiamo ammetterlo.
Sei stata tu a formattare i nostri portatili? Come fai a essere sicura che non c'è un'altra copia?
Hai rubato il mio telefono. Lo rivoglio, o domani metto tutto su YouTube.
Jesmond.

È passata la mezzanotte, ma scrivo lo stesso un messaggio a Boydy, allegando l'e-mail.

Lui non risponde. Starà dormendo. A pancia in giù, suppongo.

Devo cavarmela da sola, e non sono dell'umore di arrendermi.

Così rispondo.

Grazie per avermi fornito l'indirizzo e-mail di vostro padre. Mi tornerà utile quando vorrò raccontargli della vostra truffa dei cani e dei gatti. O forse mi presenterò a casa vostra di persona per spiegarglielo; dopo essere stata dalla polizia, naturalmente.

Non vi credo, quando dite che avete una copia del file. Ma se anche ne avete una, fareste meglio a tenerla segreta.

Ethel.

x

Premo il tasto Invio. Che cos'ho da perdere? Mi convinco che questo messaggio metterà la parola fine all'intera vicenda.

Ma dovevo immaginarlo che non sarebbe andata così.

Capitolo settantatré

La nonna è ancora alzata. Sento che apre l'armadio e prende la scatola di latta con i ricordi della mamma.

Allora capisco che non posso affrontarla. Non ancora. Sarebbe davvero troppo, tutto insieme, se andassi nella sua camera da letto e dicessi: "Ciao, nonna. Guardami: sono invisibile. E comunque dobbiamo parlare del contenuto di quella scatola di latta, e dovresti spiegarmi perché mi hai mentito per tutti questi anni. Oh, dimenticavo: quello era mio padre, vero?".

Provo il discorso, fin qui ci arrivo. Ma non posso pronunciarlo davvero. Non ancora.

Mi sdraio sul letto e aspetto che arrivino il prurito e il mal di testa.

Non arrivano.

Non all'una.

E nemmeno alle due, quando sono ancora sveglia e sento la nonna che ripone tutto e va a dormire.

Alle quattro non dormo ancora e, immersa nella luce grigia del crepuscolo che filtra dalle tende, abbasso lo sguardo per controllare se magari sono tornata visibile, anche senza il prurito e il mal di testa. Niente da fare: sono ancora invisibile. Fuori si stanno svegliando gli uccelli.

Va tutto bene, mi dico. *Ci sta solo mettendo più tempo del solito.*

A un certo punto sprofondo in un sonno leggero e inquieto. Non credo di sognare, o se lo faccio non ricordo nulla.

Sento la nonna che si alza, e quasi non oso guardare se sono ancora invisibile.

Lo sono ancora.

Mi travolge una paura che in un certo senso è molto più di una paura. È come sapere qualcosa senza sapere come lo sai.

Il mio timore è questo: che l'invisibilità sia permanente. Che io abbia fatto qualche pasticcio con le cellule del mio corpo. Che abbiano perso la possibilità di... fare cosa? Rigenerarsi? Rinnovare la capacità di riflettere la luce? E come faccio a saperlo?

Esatto. Come faccio a saperlo? Ma cosa mi è venuto in mente?

E perché, quando sono così agitata, sento sempre la voce della nonna dentro la testa?

Quel che è fatto è fatto, Ethel. Una persona forte non si piange addosso ma affronta il primo problema, poi il secondo, poi il terzo. Alcuni partono a testa bassa, altri preferiscono fuggire. Noi non facciamo così.

Il primo problema? Immagino sia l'invisibilità.

O forse no, ce n'è uno ancora più immediato. Boydy

ha detto che, dopo il mio disdicevole comportamento durante la serata del suo compleanno, sono tenuta a passare da casa per cambiarmi prima di andare a scuola.

La nonna, che sento al piano di sotto mentre prepara il tè, mi aspetta tra circa... oh, no: adesso!

Capitolo settantaquattro

Sono sgattaiolata di sotto e, pur essendo invisibile, sgattaiolare è molto, molto più difficile di quanto pensiate. Lady è uscita nel prato dietro casa per la pipì del mattino.

Ho appena inviato un messaggio alla nonna. Voglio vedere la sua reazione.

Ciao nonna. Mi dispiace tantissimo per ieri sera. So che Boydy ti ha raccontato e, anche se in realtà non è stato così terribile, mi vergogno molto. Troppo, per parlarti in questo momento. Ho con me l'uniforme di scuola. Ci vediamo dopo. E xx

Ho lasciato il telefono in cima alle scale. Dopo aver premuto Invio sono scesa di corsa al piano di sotto, senza fare rumore, e adesso sono in cucina, sulla soglia, proprio quando il cellulare della nonna segnala che è arrivato un messaggio.

È seduta al tavolo, vestita elegante per andare al lavoro, e prende il telefono nel suo solito modo: come se qualcuno ci avesse appena spalmato sopra qualcosa di immondo.

Legge il messaggio e storce la bocca, ma il resto del volto è impassibile.

Tocca lo schermo con le dita e poi si porta il telefono all'orecchio. Mi sta chiamando... *e ho lasciato il cellulare in cima alle scale.*

Non appena me ne accorgo, sento che parte la suoneria, forte e chiara, e la nonna si alza. Mi tolgo dalla sua traiettoria, mentre avanza a passo deciso verso le scale e, una volta in cima, resta lì a fissare il mio telefono che squilla allegramente.

Lo prende e va in camera mia, dove trova il letto sfatto.

Oh no, oh no. Sempre peggio. La nonna scende i gradini di corsa (io sono già tornata in cucina) e riprende in mano il suo telefono. Poi lo appoggia di nuovo. Nell'altra mano tiene il mio cellulare: lo osserva, guarda di nuovo il suo, è in preda allo sconcerto.

Torna nell'atrio.

«Ethel?» mi chiama su per le scale. «Ethel, sei qui?»

Sto per dire: "Nonna! Sono io! Sono qui e sono invisibile!", ma i suoi modi sono tanto sbrigativi e pragmatici, e io sono così terrorizzata all'idea di restare per sempre invisibile, che non riesco a farlo.

Un paio di minuti più tardi esce con i due telefoni in tasca. Lady rimane a casa perché il mercoledì la dog-sitter, Carol, ha un impegno all'università. Penso che Lady si stia abituando al fatto che sono invisibile. O comunque non ha più reazioni strane.

In quanto a me, devo agire in fretta.

Capitolo settantacinque

Se non mi presento a scuola entro un'ora, la segretaria Moncur cercherà la nonna per sapere che fine ho fatto. Allora sì che sarò nei guai.

Guai grossi.

Non ho intenzione di ripetere l'esperienza di camminare per strada nuda-anche-se-invisibile. Non posso farcela. Tanto per cominciare, il cielo annuncia pioggia, e in secondo luogo ho già i piedi doloranti per aver corso scalza ieri notte e per aver calpestato i cocci dei cani di porcellana.

Quindi devo travestirmi. Collant in testa, felpa con il cappuccio, occhiali da sole, cappotto, pantaloni, scarpe…

A capo chino, esco di casa e mi precipito a scuola. Posso farcela in otto minuti.

L'ingresso principale è affollato dai miei compagni di classe, anche se nessuno si accorge di me mentre corro dall'altra parte della strada. Meglio tentare con l'ingresso sul retro. Là c'è meno confusione.

Questa volta non ho tempo di preoccuparmi delle telecamere di sicurezza, anche perché vedo una nuvola di fumo che si alza dal cespuglio di rododendro: qualcuno sta fumando in quello che cominciavo a considerare il mio spogliatoio privato.

Attendo che il flusso di studenti rallenti un po' e mi avvicino. Premo il mio dito invisibile sul lettore d'impronte digitali all'ingresso. Come fa la macchina a leggerlo? Non ne ho idea, però ci riesce e il cancello si apre. Non entro, e nessuno si accorge di nulla.

Adesso risulto presente a scuola. Stamattina abbiamo due ore di Fisica e il professor Parker potrebbe accorgersi che non ci sono, ma è possibile anche il contrario...

Tornata a casa mi libero del travestimento e mi infilo ciabatte e pigiama. Mi fanno sentire meno strana. Lady si avvicina e scodinzola, il che mi tira su il morale.

Sono davanti al telefono di casa, l'apparecchio collegato alla linea fissa. Voglio chiamare Boydy, ma la nonna ha preso il mio cellulare e non ricordo il numero a memoria. E poi c'è un altro numero che devo scoprire.

Il telefono tiene in memoria le ultime venti chiamate, ma sul piccolo schermo compaiono solo i numeri. Non mi resta che incrociare le dita. Comincio a chiamarli, uno dopo l'altro, digitando 141 prima di ogni chiamata, in modo che risulti anonima. Non tutti rispondono quando è così. Ma devo rischiare.

0191 878 4566: segreteria telefonica. «Questo è il telefono del reverendo Henry Robinson. Mi dispiace ma non posso rispondere in questo momento, vi prego di lasciare un messaggio dopo il segnale acustico.»

0191 667 5544... «Pronto?» Una voce femminile, riattacco subito.

0870... no, questo non è un numero privato.

118 118... niente, questo è l'elenco abbonati.

Arrivo al quindicesimo numero e sono ancora a bocca asciutta. Sembrano tutti amici della nonna, o segreterie telefoniche o numeri aziendali. Il sedicesimo e il diciassettesimo suonano a vuoto e nessuno risponde.

Il diciottesimo lo riconosco, è la segreteria della scuola.

Il diciannovesimo è il mio cellulare, la nonna deve aver provato a chiamarmi.

Ed ecco l'ultimo numero in memoria.

Un cellulare che non conosco. Lo avevo notato subito, scorrendo la lista, ma non avevo osato chiamarlo perché volevo procedere con metodo e perché ero nervosa all'idea di cosa potesse succedere, nel caso qualcuno avesse risposto.

07886 545 377. Se le mie dita fossero visibili, sono certa che in questo momento, mentre premo sul tasto per richiamare, le vedrei tremare.

Risponde subito.

«Pronto?» È la voce di Richard Malcolm.

Mio padre.

Capitolo settantasei

Perché chiamare il mio papà?

Be', voi chi chiamereste in caso d'emergenza? Lo so, lo so: le mamme sono fantastiche. In effetti, molte delle mamme che conosco sono bravissime per quasi ogni tipo d'emergenza. La mamma di Tax Goodbody lo ha messo al mondo sul sedile posteriore di un taxi (e questo spiega il suo soprannome) e la mamma di Holly Masternak in passato ha lavorato come infermiera. È solo che, essendo cresciuta senza una mamma né un papà, mi ritengo libera di scegliere, e in questo momento voglio un papà.

(Non intendo mancare di tatto. Alcuni di voi potrebbero non averlo, un papà. Lo capisco e mi dispiace. Ma ricordate una cosa: fino a ieri sera, in pratica non ce l'avevo nemmeno io.)

Penso ai ragazzi che conosco e che non hanno un papà che vive con loro. Hayley Broad, per esempio: suo padre era un soldato ed è stato ucciso in Afghanistan, e lei detesta il suo patrigno.

Senza nemmeno concentrarmi troppo, me ne vengono in mente sei, che vivono senza un papà vicino. E sto escludendo chi ha un patrigno: i patrigni (eccetto quello di Hayley Broad) per quel che mi riguarda valgono come papà. (In quanto al papà di Boydy, ecco, c'è qualcosa che non quadra, ma non so ancora dire che cosa.)

Qualunque uomo può diventare padre. Ma non credo che tutti gli uomini possano fare i papà.

Voglio dare al mio una possibilità. Non so ancora che cosa è successo tra lui e la mamma, tra lui e la nonna, o persino tra lui e la bisnonna, visto che in qualche modo c'entra anche lei, e poco importa se ha cento anni: dovrà rispondere a qualche domanda, la prossima volta che faccio un salto al Priory View. A pensarci bene, potrebbe capitare molto prima che se lo aspetti.

Do per scontato che lui voglia vedermi. Giusto? Altrimenti perché sarebbe tornato a farsi vivo dopo dieci anni da eremita in un posto così lontano da me, che solo andando sulla Luna si sarebbe potuto allontanare di più?

Voglio dargli la possibilità di aiutarmi in quello che sto attraversando: il momento più difficile della mia vita.

Ecco perché lo chiamo.

Capitolo settantasette

«Ciao» dico, quando risponde al telefono. «Sono Ethel. Ethel Leatherhead.»

Lungo silenzio.

«Tua nonna sa che mi stai chiamando?»

«Ehm... no.»

«Come hai avuto il mio numero?»

Non era così che me l'ero immaginato, sempre che l'abbia mai immaginato. Mi aspettavo (o forse speravo) qualcosa di più simile a: "Oh santo cielo, la mia bambina perduta, che bello sentire la tua voce. Ho sofferto ogni istante in cui siamo stati lontani...".

Di certo non mi aspettavo un interrogatorio.

«Il tuo numero? Era memorizzato sul telefono.»

«Capisco, e... Ascolta, tutto questo è un po' strano...»

«Sei il mio papà?»

Sento un sospiro all'altro capo del telefono. Un lungo sospiro che sembra contenere dieci anni di rimorsi.

«Sì. E mi dispiace per...»

Taglio corto. Per le scuse c'è tempo più tardi.

«Dove sei?»

«In un albergo a Newcastle.»

«Quanto ci metti a raggiungermi?»

«Allora, ehm… Ethel. Non sono sicuro che tua non-na…»

«Papà. È un'emergenza. Ho davvero bisogno di te. Adesso. Ti spiego tutto quando arrivi.»

Capitolo settantotto

Quando suona il campanello, un'ora e mezza più tardi, il cuore invisibile mi balza nella gola invisibile, perché oltre la porta c'è lui e non so come reagirà nel vedermi.

Riesco a scorgerlo appena oltre il vetro smerigliato. Mi sono travestita di nuovo: felpa con il cappuccio, occhiali da sole, guanti. Sto per dirgli che sono invisibile, ma voglio che si abitui all'idea poco alla volta.

Nel caso ve lo stiate chiedendo, no, non spalanco la porta per lanciarmi nel suo accogliente abbraccio. Non va per niente così.

La prima cosa che dice è: «Oh!».

Tutto qui. Solo: "Oh!".

Avrebbe potuto dire: "Oh santo cielo, come ti sei conciata?", invece no. Solo: "Oh!". (Anche se penso che quella singola esclamazione inglobi tutto il resto.)

Rimane immobile sulla soglia, e quasi non oso guardarlo, anche se alla fine lo faccio e l'espressione che vedo sul suo volto è di totale stupore.

«Vieni» gli dico dopo qualche istante, lui entra nell'ingresso e mi segue in cucina.

«A cosa dobbiamo… ecco, quest'abbigliamento insolito?»

È seduto al tavolo, e mentre preparo il tè gli racconto
tutta la storia, così come l'ho detta a voi, cominciando
dall'acne, il lettino solare, il *Decotto "Pelle Liscia" del dottor Chang*, e scopro che è davvero un ottimo ascoltatore.

Siede lì, con la sua tazzina da tè tra le mani grandi e annuisce facendomi qualche domanda d'incorag-
giamento, ma non troppe. Non mi interrompe quando
prendo una pausa per chiedermi cos'è successo dopo,
anche se prima o poi devo arrivare al punto.

«E così sono diventata invisibile.»

Studio la sua espressione. Capisco che la considero
una sorta di test per scoprire se sarà il padre che voglio
e so che non è tanto giusto, ma è quello che sento e come
mi dice sempre la nonna: "I sentimenti sono una cosa
autentica, sempre, ma parlarne troppo è un po' grezzo.
È come impariamo a gestirli che fa la differenza".

Lui annuisce con calma e beve una lunga sorsata di
tè. Poi sfila di tasca un pacchetto di gomme, ne mette
una in bocca e la mastica pensoso.

«Quindi… sotto tutta quella roba, sei… sei invisibile,
giusto?»

«Sì.»

«E non lo hai detto a nessun altro?»

«Boydy lo sa.»

«Ok. Ma tua nonna?»

«No.»

«Vuoi farmi vedere?»

Il suo tono è così gentile, così rassicurante, che annuisco. Avrebbe potuto prendermi in giro, o fare del sarcasmo, e avrei dovuto mostrarmi lo stesso, ma con un atteggiamento di sfida: "Allora? Vuoi vedere? Vuoi una prova? Eccola".

Ma non va così, per niente. Ricky Malcolm, il mio papà, sta seduto lì con la testa leggermente inclinata di lato, masticando la sua gomma. Scettico, forse, ma decisamente interessato e soprattutto rispettoso.

Ora capisco che è *questa* la ragione per cui non l'ho detto alla nonna. Le voglio bene, su questo non si discute, ma quello che desidero – quello di cui ho bisogno – è qualcuno che reagisca in modo calmo, senza giudicarmi...

Senza accuse.

Comincio dai guanti. Lui china la testa per guardare dentro le maniche. Poi è la volta del cappuccio, lo abbasso per svelare il vuoto al posto della mia testa, infine tolgo gli occhiali da sole e la calzamaglia.

Basta così. Non voglio spogliarmi del tutto.

Tende una mano, tocca la mia pieno di stupore e io ricambio la stretta. Poi con l'altra mano mi tocca la testa e il viso, seguendo la forma del mio naso e delle orecchie, sfiorandomi i capelli, le guance, e per tutto il tempo non dice nemmeno una parola.

Guardo il suo bellissimo volto e in vita mia non credo di aver mai visto nessuno tanto sbalordito. I suoi occhi grigio-verde con le ciglia chiare guardano il punto dove dovrebbe esserci la mia testa, e poi si fermano sugli occhi. Sta tirando a indovinare, ma ci ha azzeccato. Rispondo al suo sguardo e gli stringo le mani sul tavolo, con forza, perché sento che mi viene da piangere e che allo stesso tempo non voglio.

Ha gli occhi umidi e non voglio assolutamente che pianga. Non ho niente contro gli uomini che piangono: non è questo il problema. Però non voglio che lo faccia mio padre, non in questo momento.

Si alza e viene dalla mia parte del tavolo, senza lasciarmi le mani. Mi alzo anch'io. Con la testa gli arrivo al mento. Poi mi stringe tra le braccia, accarezzandomi i capelli.

«Povera la mia ragazza» dice mentre scoppio a piangere, ansimando scossa dai singhiozzi, mentre vedo le macchie scure formate dalle mie lacrime che si allargano sulla sua camicia.

Lui non piange. Resta lì ad accarezzarmi i capelli, saldo come una roccia, con il suo respiro regolare. Riesco a sentirgli l'alito che sa di menta.

«Andrà tutto bene. Ora vedrai che troviamo una soluzione, dammi solo il tempo.»

Ben fatto, papà. Hai superato l'esame.

Capitolo settantanove

Trovare una soluzione, però, non significa agire in modo avventato. Ci sono un paio di questioni da affrontare.

La nonna, soprattutto.

E poi dove possiamo andare? In ospedale? Alla polizia? È lo stesso problema che ho avuto quando tutto è cominciato, e che mi ha accompagnato fin qui.

A chi bisogna chiedere aiuto quando si diventa invisibili?

Prima ancora di tutto questo, ci sono alcune risposte che voglio avere da papà.

Siamo nella camera da letto della nonna e ho preso la scatola di latta dall'armadio, dove lei l'aveva riposta; papà, però, si accorge di un'altra cosa: una seconda scatola nascosta subito dietro, che lui riesce a vedere perché è più alto di me.

La tira giù facendo attenzione e la maneggia con delicatezza. È una *flight case*, un baule di metallo con i bordi arrotondati e i rinforzi neri agli angoli. Non è molto grande, un cubo di circa trenta centimetri per lato.

«Era della tua mamma» mi spiega.

Seduto sul bordo del letto della nonna, papà apre la valigetta. Dentro ci sono trucchi a non finire: spazzole e spugne, tubetti di colore, mascara, fard e fondotinta.

«È così che si trasformava: Miranda Mackay diventava Felina, e l'una nascondeva l'altra. A volte ero io che lo facevo per lei.» Papà parla in tono sommesso.

Prendo un barattolo di fondotinta, un trucco che ha lo stesso colore della pelle e che serve da base. Lo indico e poi guardo papà.

Abbiamo avuto la stessa idea contemporaneamente? O lui ci ha pensato prima di me? Non so dirlo, però mi sorride.

«Dài, lo facciamo insieme» propone.

Pochi istanti dopo sono seduta su uno sgabello davanti alla toeletta della nonna con il contenuto della *flight case* sparpagliato sul ripiano di fronte a me.

Per prima cosa stendiamo il fondotinta con l'aiuto di una spugnetta (è un po' come applicare una pittura facciale, ma non così fredda). Pezzo per pezzo, striscia dopo striscia, il mio viso torna visibile.

Non è perfetto, naturalmente. Tanto per cominciare resta lo spazio vuoto della testa, dove dovrebbero esserci i capelli, ma in qualche modo funziona lo stesso.

Proviamo il rossetto, però su di me è troppo strano: è come se stessi giocando a travestirmi da adulta, così sulle labbra stendiamo un fard scuro: il risultato mi sembra convincente.

Papà è molto bravo. Prepara persino una sfumatura

leggermente più scura per le orecchie. Per le sopracciglia e le ciglia, invece, usiamo una tonalità chiara di rosso-bruno.

La parrucca glitterata è una follia, ma almeno copre lo spazio vuoto: restano fuori solo gli occhi e la bocca.

Hanno entrambi un aspetto disgustoso e terrificante. Gli occhi sono due grandi buchi neri. Dalla nuca, se apro uno spiraglio nella parrucca, ci si vede attraverso. In quanto alla bocca, non va affatto meglio: non posso mettere il trucco né sulla lingua né sui denti. Dovrò indossare gli occhiali da sole e tenere sempre la bocca chiusa.

Mi guardo nello specchio, e il risultato è strepitoso. Faccio un grande sorriso, che però sembra un po' meno favoloso, perché è come se mi avessero rotto tutti i denti.

Trucco anche le mani. C'è uno smalto bianco che posso mettere sulle unghie.

Mentre rigiro la testa per controllare il risultato da tutte le possibili angolazioni, papà mi osserva con un mezzo sorriso sdolcinato.

«Sembri tua madre» mi dice, e decido che quello è il momento giusto per rivolgergli la domanda che mi brucia sulla punta della lingua.

Perché non va tutto bene, potete immaginarlo anche voi.

Non funziona così: *Oh, il mio papà è spuntato dal nulla, ora vivrò per sempre felice e contenta e non gli farò mai nessuna domanda e mi fiderò di lui per l'eternità. Yuppi-duuu! Fine.*

No. Ho qualche domanda a cui può rispondere solo lui, per quanto ne so. Solo lui e la nonna, e anche la bisnonna, ma visto che al momento è l'unico a portata di voce toccherà a lui.

Faccio un bel respiro e gli chiedo: «Perché sei scappato in Nuova Zelanda e mi hai abbandonato?».

Capitolo ottanta

Quando è morta la mamma, abitavo con la nonna, ma non ricordo granché, come penso di aver già detto: avevo solo tre anni.

«La tua mamma ha sempre desiderato il meglio per te» dice papà. «E sapeva di non potertelo dare. Sai, con tutte le tournée, le sessioni in studio...»

Invece non so niente. Non davvero.

«Quindi la mia presenza era... che cosa? Fuori luogo?»

Papà sembra ferito e capisco che ho toccato un nervo scoperto. «Direi "impossibile". Il nostro stile di vita non era per niente adatto a una bambina.»

«E perché non lo avete cambiato?»

Papà fa un verso divertito. «È quello che diceva tua nonna. Era felice del successo che stava avendo sua figlia, ma odiava l'ambiente in cui era entrata: il mondo dello spettacolo, la musica. Gente invidiosa di tutto, sempre pronta a fregarti. Bisognava essere forti per sopravvivere. Penso che tua nonna si sentisse in colpa, perché tua madre non lo era abbastanza.»

«Ma è da pazzi.»

«Forse. Ma siamo tutti un po' pazzi. Se non lo fossimo, la vita sarebbe noiosa, non credi?»

Siamo ancora nella stanza della nonna e papà, mentre parla, continua a tirare fuori ritagli e fotografie dalla scatola di latta, rigirandoseli tra le mani. Arriva all'immagine in cui ci siamo io e la mamma sotto la pioggia e resta lì a fissarla.

«Hanno detto che beveva. Che si drogava» commento.

«No» ribatte papà. «Non tua madre. Lo dicevano tutti e... be', in effetti era sempre un po' al limite. Ma dopo che sei nata tu? Si è data una bella ripulita.»

«E allora come è morta?»

«Un infarto. I dottori hanno detto così. Secondo me, aveva un fisico molto debole, tutto qui. Ma sai come vanno le cose, quando gettano il fango su qualcuno.»

«La cattiva reputazione ti resta incollata addosso?»

«Brava, indovinato. E lei non è stata aiutata da chi avrebbe dovuto aiutarla.» Prende il biglietto con il messaggio per la nonna: *Se le cose dovessero andare male, per favore porta Boo via da TUTTO questo.*

«Di chi parli?» Spero tanto che non risponda "la nonna". Non potrei sopportarlo, se desse la colpa a lei.

«Di me. Ero incasinato. Patetico, perso, del tutto incapace di crescere una bambina. Voglio dire, ci ho provato. Ho detto al giudice che mi sarei preso cura di te e che avrei lasciato il mondo della musica, però mi sono presentato in tribunale ubriaco e così... niente da fare. Tua nonna, che Dio la benedica, ha fatto *esattamente*

quello che aveva promesso a tua madre. Ti ha portato lontano, ti ha dato un nuovo nome, una nuova casa,
una nuova storia.»

Sta succedendo tutto troppo in fretta. Non sono certa
che mi piaccia, ma voglio ascoltare ancora. La voce di
papà è dolce e rassicurante. Anche se quello che dice
non lo è affatto.

«È stata la nonna a scegliere il mio nome?» chiedo.

Lui mi guarda. «Ehi, ti sembro il tipo che chiamereb-
be sua figlia "Ethel"?» Sulle labbra gli spunta un mezzo
sorriso timido, capisco che mi sta mettendo alla prova e
rispondo a mia volta con un sorriso.

«Direi di no.» Guardo i suoi abiti normali, i capelli
ordinati. «Ma non sembri nemmeno il tipo che chiame-
rebbe sua figlia "Tiger Pussycat". Non più, almeno.»

Sorride di nuovo, ma il sorriso diventa una mezza
smorfia imbarazzata. «Centrato in pieno» dice.

«Quindi adesso come mi dovrei chiamare?» chiedo.

«Puoi essere quello che vuoi. Io e la tua mamma ti abbiamo sempre chiamato "Boo". Come su questo biglietto-
to.» Me lo mostra. «È il nome della bambina di *Monsters
& Co.* Tua mamma adorava quel film.»

«Piace anche a me» dico. «Il nome Boo, però… non fa
troppo, ecco, mondo dello spettacolo?»

Lui scoppia a ridere. «Già. Ci eravamo proprio persi,
nel mondo dello spettacolo! Ora io preferisco Ethel.»

«Davvero?»

Mi guarda da vicino, attraverso le lenti scure degli
occhiali. «Sì, davvero.»

È bello sentirglielo dire, ma non se la caverà così facilmente.

«E adesso? Perché ti sei fatto vivo proprio ora?»

Segue una pausa molto lunga. Così lunga che mi chiedo se abbia sentito la domanda.

«Papà?»

Si volta e annuisce. «Ti ho sentito. Ma non sono sicuro che la risposta andrà bene.»

«Provaci.»

«Avevo paura. Paura che mi odiassi; paura che ce l'avessi con me. Quando mi sono rimesso in carreggiata, ho capito che non ero stato all'altezza. Ho immaginato che senza di me saresti stata meglio, e oltretutto tua nonna è stata così brava a nasconderti che scovarti non era facile.»

«E come ci sei riuscito, alla fine?»

«Sai una cosa, Ethel? C'è qualcuno che può spiegartelo meglio di me. Ma adesso dobbiamo uscire.»

Si alza e prende un'altra gomma dal pacchetto. Così me ne accorgo: sono gomme alla nicotina, quelle che si usano per smettere di fumare. Guardo le dita del papà: le macchie gialle sono sbiadite e non puzza più di sigaretta.

«Hai smesso di fumare» osservo.

«Faccio del mio meglio» risponde, e poi riprende a masticare.

Mi alzo anch'io. «Dove stiamo andando?»

«A trovare la tua bisnonna» dice.

Capitolo ottantuno

Quando entriamo, la bisnonna volta la sua piccola testa bianca verso di noi. Per un istante sembra annuire in modo consapevole, e i suoi occhi sono fissi su papà, che ha un sorriso a trentadue denti. Abbiamo portato Lady con noi; non si agita più come prima in mia presenza, e va subito ad accucciarsi ai piedi inciabattati della bisnonna.

«Cara la mia signora Freeman! Due volte in due giorni, eh?» esordisce papà. «Oggi la trovo piuttosto in forma. Più di quanto ci si aspetti alla sua età.»

Guardo papà di traverso, inorridita dalla sua... sfacciataggine, suppongo. E prosegue così: schietto, stuzzicante, spiritoso.

Persino, oserei dire, un pochino *grezzo*.

«Ho portato Ethel con me, o forse dovremmo dire Tiger Pussycat, visto che ormai lo sa. Conosce tutta la storia, signora Freeman, ma non si faccia venire un accidente, eh, con quel cuore.»

Sta parlando con accento neozelandese, e lo calca di proposito; ha quel tono concreto, diretto, di chi dice le cose come stanno, sempre pronto a farsi una bella risata. Non alza nemmeno la voce – si limita a parlare in modo chiaro – e la bisnonna sembra capirlo senza problemi.

E sapete una cosa? Le piace *molto*! Lo capisco dagli occhi, dal sorriso che le spunta sulle labbra screpolate e da come le si colorano le guance. Ho persino il sospetto che stia *arrossendo*.

Devono essere anni, ormai, che nessuno le parla così.

Papà si comporta in modo amichevole, divertente e rispettoso. La chiama "signora Freeman". Le sta parlando *come se fosse normale*.

Perché la bisnonna lo è, naturalmente. Solo è molto, molto *vecchia*, però normale. Forse lo avevo dimenticato.

Sono ancora truccata e il cappuccio mi copre la parrucca glitterata.

«Mi dispiace per gli occhiali da sole, bisnonna» dico. «Ho una leggera infezione all'occhio» aggiungo, per dare una spiegazione. Lei, però, non distoglie quasi mai lo sguardo da papà.

Si è portato un iPad, tenuto nel cruscotto della macchina a noleggio con cui siamo arrivati al Priory View.

«Ho pensato di mostrare a Ethel come vi ho trovate» annuncia, attivando il tablet e digitando in fretta qualcosa.

Pochi istanti dopo appare la prima pagina di un quotidiano: *The Whitley News Guardian*.

Scorrendo verso il basso, le dita di papà si fermano su una notizia con una fotografia.

Cento anni e non sentirli!

Festa per il centenario di nonna Freeman

La signora Elizabeth Freeman ha festeggiato il suo centesimo compleanno, la scorsa settimana, nella residenza per anziani Priory View, dove abita da nove anni.

Da molto tempo, in seguito a un ictus, ha difficoltà a parlare, ma il personale della casa di riposo racconta che è arrivata al gran giorno "in perfetta salute e di ottimo umore".

Nata negli anni della Prima guerra mondiale – durante il regno di Giorgio V, prima dell'invenzione della televisione o dei viaggi aerei – la signora Freeman ha visto ben diciannove primi ministri al governo, a partire da David Lloyd George.

Ha ricevuto in dono una torta preparata dallo staff del Priory View e un messaggio di congratulazioni da Sua Maestà la Regina.

Nella fotografia, accanto a lei, ci sono sua figlia, la signora Beatrice Leatherhead, e la pronipote, Ethel Leatherhead.

«Tutto qui?» ho chiesto incredula. «Non ci è voluto altro?»

«Non ci è voluto altro, dici? La vecchia casa della tua bisnonna era stata divisa in tanti appartamenti, e le lettere tornavano al mittente. Una volta ho provato a chiamare tutte le case di riposo della zona, ma il Priory View non era nella mia lista perché è una "residenza per anziani". Per tre anni ho cercato due volte a settimana su Google "Elizabeth Freeman". Me lo sentivo, che stava per compiere cento anni, ma non ricordavo il giorno esatto del suo compleanno. Sapevo anche che, quando avrebbe festeggiato il centenario, ne avrebbero parlato sui giornali locali. Così non ho mai smesso di controllare: la notizia del compleanno o in alternativa... be'» ha aggiunto abbassando la voce, «un annuncio funebre.» Si è voltato verso la bisnonna e ha proseguito di nuovo a voce alta. «Ma ero sicuro che ce l'avrebbe fatta, giusto, signora Freeman?»

La bisnonna sembra annuire di proposito (anche se a volte è un po' difficile capirlo, visto che annuisce sempre).

Lui continua: «E quella fotografia? Be', tua nonna si sarà anche tagliata i capelli e avrà cambiato gli occhiali, ma è inconfondibile. E lo stesso vale per te: un padre sa sempre riconoscere sua figlia!».

«E così sei tornato?»

Mi ha fissato con i suoi occhi grigio-verde slavato.

«Sono saltato sul primo volo disponibile, Boo. Dovevo solo convincere tua nonna che sono cambiato e che non avrebbe tradito tua madre lasciando che ti incontrassi.»

Non distolgo mai lo sguardo dalla bisnonna e mi accorgo che la sua espressione è cambiata. Il tremore si è fermato e i suoi occhi sembrano più umidi del solito. Guarda dritto verso di me, e la mano tremula pare farmi cenno affinché mi avvicini.

Ma io non mi muovo. Non so come reagire. Voglio dire, papà è gentile e tutto quanto, ma inizio a pensare a come questa donna anziana, chiusa in se stessa da quasi dieci anni, mi abbia mentito. Accanto alla felicità di ritrovare mio padre e di poter avere risposta a circa un milione delle mie domande, sento montare dentro di me una rabbia silenziosa.

Poi riconosco la voce della nonna alle mie spalle e quella rabbia trova un bersaglio.

«Oh, mia cara Ethel. Stavo per dirtelo, davvero... ma santo cielo, come ti sei vestita?»

Capitolo ottantadue

Ecco a chi stava mandando tutti quei messaggi papà, prima che partissimo in macchina per venire qui.

La nonna insiste: «E ti sei anche *truccata*, Ethel?». Poi si rivolge a lui: «Richard, mi spieghi che cosa sta succedendo?».

E anche se non è esattamente il momento migliore e le circostanze non sono ideali, capisco di non avere scelta.

Sono faccia a faccia con tre adulti. Ho dodici anni. Le loro età sommate sfiorano i duecento, eppure ho la sensazione di essere io quella con più buonsenso, quella che fa la cosa giusta.

«Come? Come avete potuto?» dico sottovoce, e mi volto per includere la bisnonna. «Come avete potuto, tutte e due?»

Forse è stato quando ho sentito papà che parlava con la bisnonna, in quel suo modo così schietto, che ho trovato la fiducia necessaria per essere tanto diretta con loro.

La nonna non si è ancora seduta e nessuno dice nulla, così proseguo.

Praticamente sto sussurrando: «Lo sapevate. Tu e la bisnonna, voi due, e vi siete messe d'accordo per tenermi all'oscuro di tutto. Ho vissuto la mia vita come... un'altra persona. E voi lo sapevate?».

Nessuno dice nulla, così ripeto in un sibilo: «Come avete potuto?».

La voce mi esce strozzata.

Papà solleva una mano e mi fa segno di calmarmi. «Tranquilla, Boo» dice. «È una donna anziana.»

Sento scattare qualcosa dentro di me. La sensazione è proprio questa: come un elastico teso sul dito che all'improvviso lascio andare. Tutto quello che ho tenuto nascosto, tutta la tensione che avevo dentro, tutte le volte che avrei voluto condividere il mio segreto ma non ne sono stata capace, nel vedere il gesto gentile di mio padre e nel sentire le sue parole calme, mi esplodono dentro.

«Non chiedetemi di stare tranquilla!» dico più forte. «So benissimo che è una donna anziana. Abbastanza anziana da sapere come ci si comporta.»

Guardo la bisnonna e mi rivolgo proprio a lei: «Cento anni e ancora non hai capito che mentire è sbagliato? Pensano tutti che sei una dolce vecchietta, sempre seduta lì avvolta nel suo scialle, invece non sei meglio di chiunque altro. Solo perché non puoi parlare? Pensi che sia una scusa?».

Papà si è alzato. «Boo, adesso basta.» Ha ragione, naturalmente. Sto esagerando. Ma ora che ho iniziato non posso fermarmi.

«Basta? Non ho ancora cominciato. E non chiamarmi Boo. Sono Ethel. *Mi piace*, il mio nome. Il nome stampato sul mio stupido certificato di nascita falso!» Ora sto gridando e la bisnonna ha un'espressione terrorizzata, ma non è ancora finita, me lo sento.

Rivolgo la rabbia verso la nonna.

«Hai visto?» le dico, togliendomi gli occhiali per mostrare le cavità buie dei miei occhi. «Cosa ne dici di questo?» Apro la bocca e mi protendo verso di lei. «Questa sono io! Cos'è che ti terrorizza? Essere invisibile è troppo grezzo per te? O è solo volgare? Be', non m'importa: è quello che sta succedendo e sono stanca di mentire! Sono stanca di nascondere tutto!»

Mi sfilo la parrucca glitterata e la nonna si porta le mani davanti alla bocca, annaspando in preda al terrore.

Capitolo ottantatré

Sto andando alla grande ormai, e non credo di potermi fermare, nemmeno se lo volessi.

Vado dritta al lavandino nella stanza della bisnonna dove, come sempre, c'è una confezione di Nivea. Tolgo il coperchio, ci immergo le dita e mi spalmo sulla faccia una quantità di crema.

«Boo? Ethel? Forse è meglio se ne parliamo.» Papà non alza la voce ma capisco che si sta facendo prendere dall'ansia. «Pensa a tua nonna, eh?»

Lo ignoro. Vorrei rispondere così: "Perché dovrei pensare a lei? Mi ha fatto diventare una persona che non sono", ma non posso perché sono troppo impegnata a strofinare via il trucco applicato con tanta cura, e nel farlo lascio macchie rosa e marroni sull'asciugamano della bisnonna.

Alla fine ci riesco. Tolgo anche la parrucca, la felpa, i jeans, le scarpe e resto così davanti a tutti.

Loro mi fissano, ammutoliti. Per cinque, dieci secondi.

Sono.

Totalmente.

Sbalorditi.

«Questa sono io!» esclamo alla fine. «Vedete? Non sono niente. Niente di niente. E sapete una cosa? Preferisco così. Almeno è la verità.»

Mi controllo nello specchio e tolgo le ultime tracce di trucco mentre papà tergiversa continuando a ripetere: «Boo. Pensa a quello che stai facendo».

La povera bisnonna sembra terrorizzata. La nonna si è accomodata su una sedia bassa, guarda dritto davanti a sé battendo le palpebre.

Ci sto pensando eccome, a quello che faccio. Sto pensando che l'invisibilità è permanente e che mi ci dovrò abituare. E che continuare a mentire non servirà a nulla.

Lady si è ritirata nell'angolo più remoto della stanza, spaventata perché abbiamo alzato la voce.

«Vieni, Lady» dico, in tono più gentile, e anche se non può vedermi, ormai si è abituata e mi raggiunge. Mi fa piacere che almeno una persona nella stanza (se contiamo Lady come una persona, e tutto sommato io lo faccio) non consideri importante che io sia visibile o meno.

Sono a metà strada verso la porta, quando vedo la nonna alzarsi con un sospiro tremulo. Quello che dice si sente a malapena, ma c'è più tristezza in queste quattro parole di quanta ne abbia mai sentita altrove.

«Ho perso una figlia.»

E quando sento questa frase, vorrei tanto correre ad abbracciare la nonna e ascoltarla dire che andrà tutto bene. Sono ferma sulla soglia e sto per fare un passo avanti, quando una grossa infermiera mi viene addosso, *sbang!*, e grida di sorpresa. Mi coglie alla sprovvista e l'unico modo per allontanarmi da lei è uscire in corridoio.

Lady è con me. L'infermiera è davvero spaventata: mi ha toccata con le mani.

«Aiuto! Ho toccato, ho toccato qualcosa, qualcuno!»

C'è parecchia confusione, così ci mettiamo a correre.

Un minuto più tardi siamo sulla riva, a guardare il mare indaco, e mi sento *davvero* tanto confusa.

Non solo perché ho urlato contro una donna di cento anni, o perché me ne sono andata via come una furia, arrabbiata con il padre che ho appena ritrovato come un'adolescente scontrosa uscita da un telefilm. Ma anche perché, in tutto questo, ho ignorato il fatto che mia nonna stesse vivendo in segreto il suo lutto da quasi dieci anni. Continuano a rimbombarmi in testa la sue parole: *Ho perso una figlia.*

E potremmo aggiungere che sono terrorizzata all'idea che la mia invisibilità possa diventare permanente.

In più, sono debole ed esausta, e mi accorgo che non mangio da ieri sera. Non ci ho nemmeno pensato, con tutta la tensione, la paura, la rabbia e i milioni di altre emozioni che ho sperimentato nell'ultima parte della giornata.

Ma ora che ci faccio caso, ho davvero una fame spaventosa, e ho pure sete.

Mi volto a guardare il Priory View e vedo la Nissan Micra noleggiata da mio padre uscire dal viale della casa di riposo, diretta verso il lungomare con la nonna al posto del passeggero.

So che sono stata avventata e così, senza riflettere, alzo la mano per salutarli.

Ma non serve proprio a un accidente, visto che sono invisibile.

La macchina di papà si allontana lungo la strada costiera.

Non posso farcela – non posso fare nulla – da sola. Guardo la mano che ho appena sollevato per salutare. Lo smalto che ho messo sulle unghie è ancora lì: su ogni mano, cinque piccoli dischi lucenti che sono quasi, ma non del tutto, invisibili.

Mi volto di nuovo verso il mare e mi siedo su una panchina di legno.

Diventerò la Ragazza Invisibile. Non si può mantenere un segreto del genere. Le bugie e gli inganni della nonna per tenermi lontano da fama e celebrità sono stati inutili.

Perché, a meno di non vivere una vita da reclusa – senza mai uscire e senza mai tornare a scuola – diventerò famosa… Titoli di giornale. Documentari. Esperimenti di alto profilo. Ricerche mediche. Libri.

Immagino già i titoli:

La figlia ritrovata di Felina è al centro di un mistero scientifico.

La Ragazza Invisibile: l'incredibile eredità di una cantante infelice.

Chi ha visto la figlia di Felina?

Ethel Leatherhead o Tiger Pussycat "Boo" Mackay? Beatrice Leatherhead o Belinda Mackay? Miranda o Felina? Che cosa importa chi è chi? Non sono sicura nemmeno di conoscere me stessa.

Mi sento nessuno, il che è strano. Strano, perché ho sempre *pensato* di essere nessuno.

E adesso ne ho la conferma.

Capitolo ottantaquattro

Cibo, cibo, cibo. Accidenti, che fame. Ho un leggero capogiro e mi sento stordita.

Possibili soluzioni:

1. Tornare al Priory View e passare in cucina. C'è un sacco da mangiare, là dentro, ma come faccio a portare via qualcosa? Mettiamo anche che riesca a procurarmi un tramezzino: come lo mangio? Quando ho bevuto il tè per la prima volta, ho scoperto che il contenuto del mio stomaco resta visibile per un po' finché non viene... che cosa? *Invisibilizzato?* Al Priory View spuntano ovunque infermieri e operatori sanitari. Direi che non è un'opzione percorribile.
2. C'è un caffè sulla spiaggia, ma il problema non cambia.
3. A casa c'è da mangiare quanto voglio, e non credo di avere alternative, così attraverso la strada e mi metto in attesa alla fermata.

C'è un autobus che passa ogni mezz'ora e prosegue sul lungomare fino a Seaton Sluice. Quando arriva, le porte davanti non si aprono perché non c'è nessun altro che deve salire e l'autista non può vedermi. Si spalancano invece quelle centrali, da dove esce un uomo in sedia a rotelle spinto dalla moglie. Lo spazio accanto a loro è appena sufficiente perché io riesca a sgattaiolare dentro, tenendo Lady per il collare.

Ma prima che le porte si richiudano uno dei passeggeri grida: «Autista! È salito un cane!».

L'autista apre lo sportello accanto al posto di guida e viene verso di noi.

Non aspetto oltre; prendo Lady per il collare e scendo dall'autobus sotto lo sguardo di autista e passeggeri, che sorridono vedendo un cane che si muove sui mezzi pubblici con tanta disinvoltura.

Pochi secondi dopo sono di nuovo a terra, in attesa, a guardare l'autobus in lontananza.

Casa mia è a circa un'ora di cammino: sono esausta e debole, ma non ho scelta.

Per rendere più sopportabile il dolore ai piedi, abbandono il sentiero asfaltato, scendo in spiaggia e riprendo a camminare. È il primo giorno davvero torrido dell'estate, Lady corre dentro e fuori dalle onde per rinfrescarsi, e persino i gabbiani sembrano lamentarsi del caldo.

Aumento il passo verso Culvercot e la chiesa che si affaccia sul mare. Nessuno si accorge delle mie impronte sul bagnasciuga, né dei dieci minuscoli semicerchi quasi trasparenti delle unghie che ho dipinto con lo smalto, che danzano sopra le mie orme.

Che cosa farà adesso papà?

Ha promesso di aiutarmi. Posso fidarmi di lui?

A dire la verità, non ho molta scelta.

Il pomeriggio è sempre più caldo, e sento formarsi sulla fronte delle gocce di sudore.

Se riesco a sentirle, vuol dire che gli altri possono vederle. Abbasso lo sguardo e c'è un velo lucente di sudore che segna il mio profilo. Devo allontanarmi dalla calura. Osservo la spiaggia e la lunga rampa di scalini di pietra che sale fino alla chiesa.

Se proprio dico una preghiera, è una di quelle silenziose, dentro la testa; e le possibilità sono due: o qualcuno mi ha dato ascolto oppure sono fortunata, perché la chiesa è aperta. Lady e io entriamo, dentro c'è buio e fresco, tanto fresco che per il contrasto con la calura esterna rabbrividisco. Non c'è nessun altro. Annuso l'odore di incenso e vernice da legno e mi sento al sicuro quando vado a sedermi nei banchi in fondo alla navata, con il legno freddo sotto il sedere. Il caldo e i tuffi in mare hanno stancato Lady, che si distende sotto una panca.

La penombra è piacevole. Parte della mia stanchezza potrebbe dipendere dal fatto che non posso chiudere gli occhi per proteggermi dalla luce del giorno. Mi domando se quei rapidi battiti di ciglia che ripetiamo infinite volte nel corso della giornata non servano a riposare gli occhi dalla luce.

Sono stata in questa chiesa molte volte con la nonna. Dice che le piace la "liturgia", che è un altro modo per dire "messa", suppongo. Usano un linguaggio aulico, proprio come lo immagina la gente che non va mai in chiesa. Un giorno la nonna mi ha fatto notare, tutta soddisfatta, che nessuno suona la chitarra durante gli inni, il che per me è un gran peccato, ma per la nonna no.

Una volta seduta, mi rilasso e appoggio la testa contro le dita intrecciate delle mani ripensando alle parole che pronunciavo in chiesa quando ci andavo con la nonna. È come una preghiera, anche se non lo è, perché non dici "Amen" alla fine. Tutti i presenti ripetono in coro:

Credo in un solo Dio, creatore del cielo e della terra, di tutte le cose visibili e invisibili...

«Mettilo qua, Linda... Su quel tavolo. Grazie, cara.»

Ero così persa nei miei pensieri che non le ho nemmeno sentite entrare, anche se il portone d'ingresso è chiodato e pesante. Mi volto e vedo due donne dall'aria familiare, ma non conosco i loro nomi. Be', uno lo so perché lo hanno detto: la più giovane si chiama Linda.

Entrambe reggono una scatola di cartone, che appoggiano sopra un tavolo su dei cavalletti in fondo alla chiesa, appena dietro di me.

Sto fissando Linda, perché sono certa di averla già incontrata. Ma è quando la sento parlare che capisco.

«Eh, quant'è pesante, 'sta roba! Devo starci attenta o farò un bel ruzzolone!»

L'accento Geordie, l'abbronzatura: è la commessa di Geordie Bronze, che sta tirando fuori lattine di zuppa, sacchetti di pasta, pagnotte...

«È meglio se resta nella scatola, Linda. Tanto devono spostarlo nella sala parrocchiale.»

E così torna tutto nella scatola, e so già di cosa si tratta: è la banca del cibo della chiesa, prodotti alimentari che la gente dona ai poveri.

Vorrei inseguire Linda e mostrarle che sono diventata invisibile. Mostrarle che cosa è successo dopo che ho usato il lettino solare che mi ha regalato. Non che ne sia orgogliosa; è solo che se devo abituarmi a essere invisibile, lei potrebbe essere un buon punto di partenza. O no?

Ci metto troppo tempo, comunque. Se ne sono già andate, la porta si chiude alle loro spalle con un tonfo, e resto di nuovo sola nel silenzio della chiesa.

Le scatole sono sul tavolo, illuminate da un raggio di luce che filtra da una delle vetrate colorate, e diciamo la verità: se questo fosse un film, sarebbe già partito il coro degli angeli.

La prima cosa che apro è il pane. È marrone e sa di noci: una vera delizia. Gran parte del contenuto delle scatole non fa per me: confezioni di farina e riso, uova e verdure (però mangio una carota, che non è niente male) e tante lattine che avrebbero bisogno di un apriscatole. C'è un barattolo di fagioli con una linguetta sul coperchio, così lo apro e li mangio insieme al pane. Nell'altra scatola c'è un sacchetto di mele. Sto mangiando voracemente, faccio cadere a terra il cibo e sto per dare un enorme morso a una mela, quando la porta della chiesa si apre di nuovo.

Lascio cadere il frutto sul pavimento e mi nascondo dietro una panca, appena in tempo per vederlo che rotola sulle mattonelle in direzione di Linda, che sta portando dentro un'altra scatola. È una reazione istintiva, il fatto di nascondersi. In realtà non serve perché sono invisibile, ma sono felice di averlo fatto, perché quando abbasso lo sguardo vedo il cibo che ho mangiato sospeso all'altezza dello stomaco.

Linda appoggia la scatola e fissa imbambolata la mela, poi il tavolo. Pochi istanti dopo la raggiunge l'altra donna, con due borse della spesa.

«Oddio, guarda che roba!» esclama.

L'altra donna non dice nulla.

«Stava rotolando verso di me, quella mela. È caduta e si è messa a rotolare.»

«Ma chi ha preso il cibo, Linda? Siamo state via poco, giusto il tempo di andare alla macchina.»

«È ancora qui dentro, poco ma sicuro, Maureen.»

«Sarà stato uno dei ragazzi del coro» ipotizza l'altra, poi alza la voce. «È il cibo per i poveri, stronzetti!» grida.

Si sente l'eco in tutto l'edificio. «*Stronzetti... etti... etti.*»

«Si saranno già nascosti» dice Linda, mentre cammina lungo la navata, guardando a destra e a sinistra tra i banchi.

A quel punto mi sono già nascosta sotto una panca di legno e così non vede lo strano grumo di sbobba liquida che galleggia nell'ombra.

«Tu?» la sento dire, e il cuore mi balza in petto.

Poi mi accorgo che si è chinata qualche fila più in là.

«Ho trovato il colpevole, Maureen. C'è un cane!»

Sento la coda di Lady che batte a terra mentre scodinzola.

«Ehi, birichino, che ci fai qui?»

Maureen dice: «Chi ha lasciato entrare un cane dentro la chiesa?».

Resto immobile finché Linda e Maureen non decidono di lasciare Lady dove l'hanno trovata, perché potrebbe essere il cane dell'organista o di qualcun altro, e un minuto dopo se ne vanno, ridacchiando sottovoce del cucciolo che ruba il cibo alle famiglie povere e del fatto che ne parleranno con il reverendo Robinson.

Striscio fuori da sotto la panca, e mi sento sconfitta. Sono a pezzi. Esausta per la corsa, il tempo passato a nascondermi e a mentire.

Prendo uno degli inginocchiatoi, lo sistemo come se fosse un cuscino e mi sdraio al buio sopra una panca cercando di dormire, ma non ci riesco perché non posso chiudere gli occhi. Trovo un libro degli inni e me lo appoggio aperto sulla faccia, in modo da oscurare gran parte della luce.

Forse quando mi sveglierò sarà tutto a posto.

Capitolo ottantacinque

Sento suonare l'organo.

L'organista deve essere venuto in chiesa per esercitarsi. Mi tolgo il libro dal viso e mi guardo attorno. I raggi di luce che filtrano dalle vetrate colorate si sono spostati all'interno della chiesa.

Non so dire che ore siano, ma dev'essere trascorso molto tempo. Le scatole di cibo sono sparite dal tavolo sul retro, quindi è passato qualcuno. Lady dorme ancora sotto la panca.

Cammino lentamente tra i banchi verso l'altare, e mi tornano in mente frammenti delle messe alle quali andavo con la nonna.

Senza nemmeno tirare a indovinare, so che l'organista sta suonando Bach, *Toccata e fuga in Re minore*. Scommetto che se provate ad ascoltarla la riconoscete anche voi.

Non è che io sia particolarmente religiosa. Non sto avendo alcuna rivelazione, né mi sento "piena dello Spirito Santo" come aveva detto Suki Kinghorn al ritorno da un campo estivo organizzato dalla chiesa; non la smetteva più di parlare di Gesù, il suo nuovo miglio-re amico. (Per qualche tempo i gemelli Knight l'hanno presa in giro dicendo che aveva un amico invisibile, cosa che ho trovato parecchio cattiva, anche molto pri-ma che l'idea di un amico invisibile diventasse più reale di quanto avessi mai desiderato.)

Somiglia più a un ricordo. Alzo lo sguardo e vedo un'enorme scultura di legno di Gesù in croce appesa sopra l'altare. Quando ero piccola mi faceva paura. È dipinta a colori, c'è il rosso del sangue sulle mani e sui piedi; così mi torna in mente la storia di Gesù che muore e torna alla vita, e ricordo di aver pensato, già da bambina, quanto fosse improbabile.

Certo, è stato molto prima che diventassi invisibile, altra cosa che non avrei mai ritenuto possibile quand'ero piccola.

Sono davvero io? Sono uno spettro?

Abbasso lo sguardo su di me: una me stessa invisibi-le, senza ombra, come i vampiri al cinema.

Posso vivere la vita, *tutta la mia vita*, in questo modo?

Capitolo ottantasei

Fuori dalla chiesa c'è luce, ma la temperatura è calata un po' con l'avanzare della sera. Non si sente un filo di brezza, ma almeno non dovrei più sudare. Al largo sul mare si sta formando una nube temporalesca e l'aria è tanto densa che sembra quasi attutire il rumore del traffico sulla costa.

Alle mie spalle, oltre il portone, l'organista sta ancora suonando Bach, una musica che mi risuona in testa mentre alzo lo sguardo verso il grande orologio della chiesa. Sono quasi le nove, il che va bene perché...

Le nove?

Le nove in punto?

Le nove in punto di oggi?

Sto fissando l'orologio e intanto ascolto il suono ovattato dell'organo, quando vedo scattare la lancetta dei minuti. Vengo travolta da un pensiero improvviso.

Boydy.

Light the Light.

Light the Light, tonight.

Ho promesso. Non mi perdonerà mai se non ci vado.

Mai e poi mai. Come ho potuto essere tanto egoista, stupida e distratta?

Povero Boydy. Ha messo l'anima e il cuore in questo progetto, ci ha investito denaro, ha rischiato di rendersi ridicolo, e adesso?

Me lo aveva detto, che sarebbe stato stasera. Ha invitato un sacco di gente: giornalisti e troupe televisive soprattutto. Ho cercato di spiegargli che secondo me non si sarebbero presentati in tanti – volevo, sapete, "ridimensionare le sue aspettative" – ma, com'è tipico di Boydy, non mi ha dato retta. Il che rende ancora più importante che io mi presenti all'evento, se non altro.

L'ho deluso, e non è quello che fanno gli amici. Non riesco nemmeno a sorridere per la sorpresa, quando mi rendo conto che Boydy è ormai diventato mio amico: un vero amico, di quelli che non vuoi deludere, perché sai che loro non ti deluderanno mai. Sono stata così presa dai miei problemi che ho dimenticato il progetto a cui lavorava da settimane.

Senza cellulare non posso chiamarlo per chiedere scusa, né per spiegargli dove sono, né per dirgli:

Ci sarò.

Se corro.

Se corro da qui al faro di St Mary, posso arrivare per le nove. Quanto è lontano? Tre chilometri? Quattro? Non ho mai corso una distanza tanto grande, mai. Parto lo stesso, con Lady che mi trotta eccitata al fianco, e c'è qualcosa di ipnotico nell'azione ritmica di mettere un piede nudo davanti all'altro.

Presto supero la piccola sala giochi e il ristorante tandoori di Culvercot, oltre la curva dove c'è la strada ripida che scende alla spiaggia e alla passeggiata sul lungomare.

Dopo cinque minuti, il mio respiro è profondo ma regolare.

«Sto arrivando, Boydy» dico a me stessa ansimando.

Culvercot finisce quando appare l'insegna BEN-VENUTI A WHITLEY BAY. Si vede il faro in lontananza, bianco sullo sfondo del cielo sempre più scuro; c'è la grande cupola bianca della vecchia sala da ballo Spanish City, da tempo chiusa con delle sbarre di legno; passo correndo accanto alla piscina Waves con il suo personale dispotico e Lady è ancora al mio fianco. (Di solito è un disastro, quando si tratta di camminare al piede, ma in questo momento sembra un cane da competizione, impegnato in una prova di obbedienza. Forse è preoccupata di non trovarmi mai più, se corresse avanti da sola.)

Ho già programmato tutto. Non voglio rubare la scena a Boydy, quindi aspetterò che abbia finito con il faro. Solo allora mi svelerò a tutti i presenti. Qualcuno ci sarà, dopotutto.

Supero un gruppo di persone uscite per una passeggiata serale. Il mio respiro ormai è affannato e stridente. Rumoroso.

Ma non m'importa più. Sento che la gente si volta sorpresa al suono dei miei passi sulla pavimentazione di pietra, al mio ansimare, ma l'unica cosa di cui mi preoccupo è di correre più veloce, perché so che il tempo sta per scadere. I piedi mi fanno molto male ora, soprattutto il calcagno con cui ho pestato il cane di porcellana, e ho bisogno della sabbia, così scendo lungo il sentiero che porta alla spiaggia, dove la corsa si fa più lenta, ma anche meno dolorosa.

Ci siamo quasi. Altri cinquecento metri? Quattrocento?

Per trovare la forza di proseguire, penso a Boydy, alla sua espressione ferita quando si accorgerà che non ci sono per il suo grande momento, e intanto mi arrampico sulle rocce per raggiungere la strada rialzata che porta all'isola, procurandomi un altro taglio sotto la pianta del piede con una conchiglia affilata come un rasoio, ma continuo a correre.

«Boydy!» grido. «Aspetta!»

Come se potesse sentirmi con la musica che rimbomba dal suo impianto casalingo. Ha messo Felina a tutto volume. Ovvio. È proprio quello di cui ho bisogno.

Light the light
I need your love tonight
I wanna see you, see you tonight...

La marea si sta ritirando, ma c'è ancora acqua su entrambi i lati della strada rialzata.

Sono abbastanza vicina da poterli scorgere nel crepuscolo. C'è un gruppo di persone, non troppe: forse sei o poco più. Non è venuto nessun altro?

Boydy è in piedi sui gradini, più in alto di tutti gli altri, e scruta la strada. Guarda se sto arrivando, ne sono sicura.

La musica si interrompe all'improvviso, nel modo in cui finiscono tante canzoni della mamma: un accordo dirompente e una doppia percussione, *bum-bum*.

Lady ha evidentemente deciso che non mi perderà anche se si allontana, così parte di corsa per raggiungere il gruppo.

«Sono qui! Sto arrivando!» grido con il poco fiato che mi resta. Il sangue mi pulsa nelle orecchie.

La piccola folla si volta verso il punto da cui arriva la voce.

Poi appare una luce, che viene verso di me. Mi giro in preda al panico, e i fari della macchina mi travolgono in pieno. Al volante c'è papà, e la nonna è seduta al suo fianco.

«PAPÀ!» grido, o almeno penso di gridare.

In realtà non lo so. È l'ultima cosa che sento.

Lui non mi vede, naturalmente.

Sente l'impatto, però, quando la macchina mi investe. Vede solo gli spruzzi, che si sollevano quando rimbalzo sul cofano e finisco in acqua.

THE WHITLEY NEWS GUARDIAN
Ancora grave la ragazza del faro

Le condizioni di Ethel Leatherhead, la ragazza di dodici anni coinvolta in uno spaventoso incidente sulla strada rialzata che porta al faro di Whitley Bay, secondo quanto riferito dai medici dell'ospedale di North Tyneside, mercoledì notte erano ancora molto serie.

Alla guida dell'auto c'era il signor Richard Malcolm, il padre di Ethel. La nonna della ragazza – Beatrice Leatherhead, ex suocera del signor Malcolm – era a bordo della macchina quando, alle nove di sera, il mezzo ha colpito la ragazza scaraventandola in mare.

I passanti che hanno aiutato nel drammatico salvataggio si erano radunati sull'isola di St Mary per la cerimonia non ufficiale *Light the Light*. Un compagno di scuola di Ethel – Elliot Boyd, tredici anni, di Woolacombe Drive, Monkseaton – voleva riportare in funzione il faro dismesso.

Alcuni istanti prima che la luce del faro venisse accesa, si è sentita la richiesta di aiuto del signor Malcolm. Elliot Boyd si è immerso in acqua fino alla vita, per raggiungere il punto dove la sua compagna di scuola giaceva a faccia in giù, apparentemente priva di vita. Elliot, che conosce le tecniche di primo soccorso, ha trascinato il corpo inerte al sicuro, dove ha cercato di rianimare la ragazza fino all'arrivo dei paramedici, quindici minuti più tardi.

Non è ancora chiaro perché Ethel fosse nuda al momento dell'incidente.

Un portavoce del servizio ambulanze sostiene quanto segue: «Ethel è molto fortunata a essere viva. Quando è arrivata l'ambulanza, era morta a tutti gli effetti. Non aveva battito e non respirava».

È stata portata subito in ambulanza, dove i paramedici hanno tentato di rianimarla con la defibrillazione, una scarica elettrica controllata per simulare il battito cardiaco.

L'ispettore detective Maxwell Ford della polizia di Northumbria ha dichiarato: «Si è trattato di un tragico incidente e la polizia non sporgerà denuncia contro il signor Malcolm. Siamo vicini a Ethel e alla sua famiglia».

Il consiglio comunale di North Tyneside, proprietario del faro St Mary, in seguito alle pressioni dell'opinione pubblica, ieri ha ritirato ogni accusa di violazione di domicilio nei confronti di Elliot Boyd.

«Senza l'intervento rapido e altruista di Elliot Boyd, Ethel sarebbe quasi certamente morta sul luogo dell'incidente. Alla luce del suo eroismo, non daremo seguito alle accuse» ha dichiarato il sindaco di North Tyneside, il consigliere Pat Peel.

Il reverendo Henry Robinson, parroco della chiesa di St George a Culvercot, congregazione frequentata da Ethel e da sua nonna, ieri notte ha organizzato una veglia all'aperto sul luogo dell'incidente, alla quale hanno partecipato i fedeli della chiesa e gli studenti della Whitley Bay Academy, dove la giovane studia. «Per favore, pregate per Ethel. È una ragazza adorabile con un meraviglioso sorriso e vogliamo che torni presto in perfetta salute.»

Capitolo ottantasette

Cose di cui mi accorgo aprendo gli occhi:

1. Non sono a casa.

Solo questo. È l'unica cosa di cui mi accorgo.
La luce fa così male che chiudo di nuovo gli occhi.
(Chiudere gli occhi fa tornare tutto buio, ma non ci faccio caso. Non subito.)
Mi fa male la testa. Il petto. Ho dolori ovunque.
Non so quanto ci metto per aprire di nuovo gli occhi, ma quando lo faccio, ecco cosa vedo:

1. Non sono ancora a casa.
2. Fuori è buio. Se mi volto da un lato, riesco a vedere la luce arancione dei lampioni oltre una tenda mezza chiusa.
3. Guardando dalla parte opposta, vedo un uomo seduto su una sedia con la testa china sul petto.
4. L'uomo è mio papà.
5. Non sono più invisibile.

Capitolo ottantotto

Scopro che papà e la nonna sono rimasti con me in ospedale, senza mai allontanarsi, finché non ho ripreso conoscenza.

Frattura del cranio, due costole rotte, lividi estesi in tutto il corpo, arresto cardiaco. Proprio così, un infarto.

Ero morta, quando Boydy e papà mi hanno tirato fuori dall'acqua.

Sono stata colpita dall'automobile, sono volata in acqua mentre ero incosciente, ho rischiato di annegare e ho avuto un infarto.

(Nel caso ve lo stiate chiedendo – e se fossi in voi lo farei – non ho avuto alcuna esperienza di "pre-morte", non ho visto quello che stava succedendo mentre volteggiavo sopra la scena, non c'è stata nessuna luce verso cui camminare. Non ricordo nulla.)

Ero decisamente morta: sepolta e stecchita.

Adesso, però, sono seduta in un letto.

Ho male ovunque.

La nonna e papà sono rimasti in ospedale finché non mi sono "stabilizzata", facendo i turni accanto al mio letto e andando a dormire nella stanza che l'ospedale riserva ai parenti delle vittime di incidenti stradali.

La nonna piange un sacco. Sembra vent'anni più vecchia. Continua a ripetere: «Mi dispiace, Boo. Mi dispiace. Mi dispiace così tanto».

Anche papà dice spesso che gli dispiace, ma non piange. Invece mi stringe le mani, a volte un po' troppo forte, però va bene così.

Penso che voglia chiedermi scusa per avermi investito, anche se non è davvero colpa sua.

La nonna dice che le dispiace per tutto quanto.

Gli infermieri vanno e vengono.

I dottori mi puntano una luce negli occhi e mormorano tra loro, mi chiedono cose tipo: «Come ti chiami?» per controllare che il mio cervello funzioni a dovere.

Nessuno ha parlato di invisibilità.

Bene.

Capitolo ottantanove

Qualche giorno dopo viene a farmi visita Boydy e mi ritrovo piegata in due dal dolore, perché mi fa ridere anche se ho le costole rotte.

Mi ha portato dei fiori! Nessuno mi aveva mai portato dei fiori prima, ed è una cosa gentile.

«Tutto bene, Eff?» Ha un'espressione solenne. «Questi li ho fregati per te, sai? È morto un tipo in fondo al corridoio, così ho pensato che non ne avesse più bisogno.»

Lo fisso.

Lui resta serio, ma non a lungo. «Scherzo! Ho rinunciato alla mia razione quotidiana di ciambelle per comprarteli.»

È per questo che sto ridendo. Prende in giro se stesso, prende in giro me, tutto quanto, e una volta che ho cominciato a ridere vorrei riuscire a fermarmi perché fa proprio male, ma non ci riesco e mi lamento così tanto che le infermiere si precipitano nella stanza, guardando Boydy contrariate, mentre lui prende una banana dalla ciotola di frutta in fondo al mio letto.

Sono in una camera privata, non in reparto, forse perché sono appena uscita dalla terapia intensiva; papà si è allontanato per lasciarci da soli.

Boydy siede sul letto, sbuccia la banana e dà un bel morso.

«Sono felice che ce l'hai fatta, Eff» commenta con la bocca piena. «Se ci lasciavi le penne, sarebbe stato un bel casino, sai? Invece salta fuori che sono un eroe. Grazie tante!»

Sento che sto per scoppiare di nuovo a ridere. «Lascia stare» rispondo.

«No! Dico davvero. La gente mi guarda in un altro modo. Non sono più soltanto lo sbruffone grasso arrivato da Londra.» Fa una pausa mentre finisce la banana. «So che cosa dicono di me, che cosa pensano. Ci sento benissimo. Ma è questo che sono, un po' insistente e sfacciato. Sono fatto così. Non posso diventare un'altra persona. Se a qualcuno non piace, pazienza.»

«A me piace.»

Lui sorride. «Già, bene. Hai dei pessimi gusti, sai? La mangi, quell'uva?»

L'infermiera torna con un termometro e una tazzina di antidolorifici. Mentre mi misura la febbre, Boydy ci dà dentro con l'uva, lanciando in aria i chicchi per acchiapparli con la bocca.

Finisce il grappolo e sfila di tasca qualcosa: è il telefono di Jesmond Knight.

«Torna stasera dalla gita scolastica. Questo l'ho azzerato, è tornato come mamma l'ha fatto.»

«Aspetta, Boydy. È un furto, no? Voglio dire, in effetti l'hai rubato, quel telefono.»

Boydy sorride. «Io? Forse vuoi dire noi, eh? E comunque è un furto solo se togli per sempre un oggetto al suo legittimo proprietario. In questo caso, direi che l'ho preso in prestito. Pensavo di infilarlo nella loro cassetta della posta tornando a casa.»

Quando l'infermiera se ne va, Boydy avvicina la sedia e si protende verso di me.

«Allora... hanno trovato qualcosa? I dottori? Qualcosa di strano? Qualche pezzo che ti manca o che è ancora invisibile?»

Scuoto la testa.

«Gliel'hai detto?»

Faccio segno di no un'altra volta. «Perché avrei dovuto? Non ha niente a che vedere con l'incidente.»

«Ma è per quello che tuo padre non ti ha visto. È la ragione per cui è successo.»

«Quando sono morta, però, sono tornata visibile. Come le mie lacrime, il vomito, il sangue. Non c'è nessuna prova. Resta solo quell'avanzo di polvere. Ce l'hai ancora tu, vero?»

Il suo silenzio è eloquente.

Alla fine mormora: «Ce l'avevo nella tasca dei pantaloni. Quelli che indossavo quando sono saltato in acqua per prenderti. Non è rimasto nulla».

«Niente di niente?»

Annuisce.

Non sono nemmeno arrabbiata.

Anzi, direi più sollevata.

Le persone che mi sono davvero vicine sanno la verità.

E gli altri? Be', "affermazioni straordinarie richiedono prove straordinarie".

Prendo il portatile, sobbalzando per il male, e lo apro. Sto per mostrare a Boydy il filmato del mio ultimo salto nell'invisibilità quando mi rendo conto che all'inizio sono nuda. Non voglio che si imbarazzi, così mando avanti la registrazione fino al punto in cui sono sdraiata dentro il lettino: quello che succede da lì in avanti non è così evidente, però.

La ripresa non è male. È tutto a fuoco, l'inquadratura è corretta. Ma la luminosità dei raggi UV crea una specie di bagliore confuso attorno a me e quando sparisco...

«Non si capisce molto, eh?» commenta Boydy con aria cupa. Potrebbe essere un effetto speciale fatto in casa.

«Non convincerebbe nessuno.» Poi sorrido. «Ma noi sappiamo la verità.»

Capitolo novanta

Sento delle voci appena fuori dalla stanza e pochi istanti dopo entrano tre ragazze in uniforme scolastica. Kirsten Olen, Katie Pelling e, sorpresa delle sorprese, Aramynta Fell.

Sono state mandate come delegazione di classe dal professor Parker per consegnare un biglietto di auguri di pronta guarigione firmato da tutti i miei compagni, esclusi quelli che sono in gita al centro avventura del Lake District.

Non ci sono abbastanza sedie nella stanza, così Boydy e le tre ragazze si dividono tra il bordo del letto e le due sedie disponibili.

Kirsten e Katie si comportano come se tra noi fosse tutto a posto, e lo fosse sempre stato.

Mi sta bene così.

Ma c'è qualcosa in Aramynta che mi infastidisce. Non riesco a definirlo. È stata gentile persino con Boydy.

Però si comporta… in modo sospetto, ecco. È chiaro che non vorrebbe trovarsi qui, e non è perché nei miei confronti è sempre stata fredda, se non del tutto ostile. C'è qualcosa che mi assilla, un ricordo che cerca di tornare a galla, ma al quale non riesco a dare un nome.

Stiamo parlando del professor Parker, del putiferio sollevato dall'esibizione di Boydy al talent show, e di come non abbia mai voluto svelare il trucco, quando Katie domanda: «Tu eri vicina, vero, Mynt?».

Mynt.

È allora che mi torna in mente. Quando Jesmond, in camera sua, parlava con Aramynta della ricompensa per il rapimento di Geoffrey.

E allora butto fuori tutto.

«Grazie per essere venute. Ma prima che ve ne andiate: Aramynta? Quanti soldi hai scucito alla vecchia signora Abercrombie?»

Capisco subito che l'ho incastrata, non per quello che dice ma per come cambia colore: il suo viso diventa del rosso più brillante che abbia mai visto in faccia a qualcuno.

«Io... Io... che cosa?»

Nessuno in quella stanza sa di cosa sto parlando, nemmeno Boydy. Così provo a spiegarlo: il ruolo di Aramynta come "osservatrice", il fatto che distribuiva giornali gratuiti e volantini dei take away per individuare le case con animali da compagnia che potevano essere facilmente rapiti da Jesmond e Jarrow e poi tenuti nascosti finché i padroni non offrivano una ricompensa. Se la ricompensa non arrivava, restituire i cani non era certo difficile.

Sto inventando gran parte di quello che dico, ma so di avere ragione.

Aramynta non cerca nemmeno di negarlo. Fissa il pavimento e basta.

«I gemelli tornano stasera, vero?» proseguo. «Quindi se vuoi evitare che io faccia un giretto dalla polizia – e lo farò, promesso – ti conviene restituire il denaro della ricompensa alla signora Abercrombie.»

«Non... non hai prove» replica Aramynta. Ma si capisce che è spaventata.

«Sì che le abbiamo, vero, Boydy?»

Boydy – che fino a questo punto mi ha fissato sbalordito – chiude di scatto la bocca e ritorna in vita. Infila la mano in tasca e prende il telefono di Jesmond Knight con le sue inconfondibili strisce rosse e bianche e lo stemma di una squadra di calcio.

«Come no» dice, come sempre sul pezzo.

Si alza e parla a tutti come se fosse in tribunale, sfoderando la sua voce da avvocato: «Riconoscete questo cellulare? Certo che sì: appartiene a Jesmond Knight, giusto?».

"Giusto?" Devo mordermi l'interno della guancia per non sorridere. Ho già capito dove vuole andare a parare. È un genio.

Aramynta annuisce.

Boydy accende il telefono e avvia la chiamata. «Oh, bene» dice, fingendo di parlare tra sé e sé. «FaceTime sembra funzionare. Ciao, Jarrow. Che bello vederti e sentirti!»

Sul piccolo schermo del cellulare è apparsa Jarrow Knight con un'espressione sbalordita. Sembra che si trovi sull'autobus della scuola. Attorno a lei ci sono altre persone, ma l'unica che riesco a riconoscere è Jesmond, che si avvicina alla telecamera del cellulare e dice ringhiando: «È il mio telefono, Boyd? Amico mio, sei morto».

Ma Boydy sorride e basta, ultrasicuro di sé.

«Mi sa proprio di no, Jez, vecchio mio.» Riprende la voce da avvocato. «Devi sapere che su questo dispositivo ho trovato un certo numero di prove. Messaggi, registri di chiamate, tutto quanto, e non c'è dubbio che siano stati commessi svariati crimini: estorsione di denaro con l'inganno e rapimento di un animale in contravvenzione al Domestic Animals Act del 1968. Tutte le evidenze dimostrano *prima facie* che gli esecutori delle già citate violazioni sono il signor Jesmond Knight e sua sorella gemella, Jarrow, residenti al civico 40 di Links Avenue a Whitley Bay.» Si ferma e punta un dito accusatore contro Aramynta. «E lei, signora Aramynta Fell, è complice del crimine e sarà perseguita di conseguenza.»

È un bluff – un enorme bluff – ma funziona lo stesso.

Aramynta è sbiancata in volto.

Sullo schermo del telefono, Jarrow si morde con furia il labbro inferiore, battendo con insistenza le palpebre.

Li abbiamo in pugno.

Boydy si volta verso il telefono, che tiene girato verso di sé come se volesse farsi un selfie, in modo che Jarrow e Jesmond possano vedere tutta la scena.

«Verrà perseguita, poco ma sicuro, a meno che tutto il denaro estorto con l'inganno non venga restituito alle vittime entro una settimana.» Boydy si avvicina allo schermo. «Caso chiuso. Ora diamoci da fare, eh?» Guarda l'orologio. «Mynt? Queenie Abercrombie deve essere la prima. Avete un'ora, poi facciamo una chiamata di controllo. Tutto chiaro? Su su, sgambettare.»

Aramynta annuisce e si precipita fuori dalla stanza.

Boydy si volta verso il telefono e abbandona il tono elegante da avvocato. «Non scherzo, Jarrow, Jesmond. Dovete restituire tutti i soldi, o lo saprà il mondo intero, a cominciare dal vostro paparino. Questo telefono verrà consegnato stasera nella vostra cassetta della posta, ma non preoccupatevi: ho fatto un backup di tutti i dati. Arrivederci!» Senza aspettare una risposta, interrompe la chiamata.

Katie e Kirsten hanno osservato tutta la scena con crescente stupore.

«Che strega!» commenta Kirsten.

«Non mi è mai piaciuta. Non sul serio» aggiunge Katie.

Capitolo novantuno

Dopo che le ragazze se ne sono andate, chiedo a Boy-dy: «Quando hai parlato dei dati che hai trovato sul telefono...».

«Mmm, sì?»

«Era un bluff?»

«Non del tutto. Ma sai una cosa, Eff? Quando si tratta di bluffare, ho imparato dal migliore.»

Non ho idea di cosa intenda, ma presto lo scoprirò.

Tre settimane dopo

Capitolo novantadue

Sono fuori dall'ospedale, ma ho ancora dolori dappertutto e dei punti di sutura sul cuoio capelluto.

Papà ha affittato una casa a Monkseaton. Vuole che io e la nonna ci trasferiamo.

In realtà credo che voglia soprattutto che *io* mi trasferisca, e che lo abbia chiesto alla nonna solo per gentilezza, ma spero che lei accetti. Sarebbe divertente.

Alla fine ho dovuto chiedere alla nonna di smetterla di dirmi che le dispiace.

Ha fatto solo quello che le aveva chiesto mia madre. Per il mio bene, ha vissuto dieci anni come Beatrice Leatherhead rinunciando al suo vero nome, Belinda Mackay. Ha temuto ogni singolo giorno che qualcuno potesse riconoscerla, o scoprire il suo legame con Felina.

Ha convinto la bisnonna a non svelare l'inganno, con la promessa che mi avrebbe spiegato tutto non appena fossi stata "abbastanza grande". Ma quando è arrivato il momento, si era spinta troppo in là con le bugie e non era più in grado di tornare indietro.

Sono cresciuta come Ethel Leatherhead, ed è quello che sono. Non come "Boo Mackay (o Malcolm? chi lo sa), figlia della principessa del pop, l'inconsolabile Miranda Felina Mackay", e in fondo mi sta bene così.

Chi può desiderarla, tanta visibilità?

E se anche la nonna non avesse mentito, che cosa sarebbe cambiato?

La mia mamma non sarebbe qui lo stesso. Questo non si può cambiare.

Mio padre, nonostante tutti gli "anni perduti", come li chiama lui, alla fine sarebbe tornato.

In quanto a me, sarei potuta crescere a Londra, ma sapete una cosa? Ci sono andata in gita scolastica, una volta, e non è poi così straordinaria. Non ci sono la spiaggia, i gabbiani, il faro.

E non ci sarebbe stato Boydy, un vero amico, che riesce a farmi ridere ogni giorno.

Più tardi vado da lui. Mi ha invitato con questo messaggio:

Il signor Elliot Boyd invita
la signorina Ethel Leatherhead
a una cena con rivelazione.
8 luglio, ore 19

Cena con rivelazione?
Ma che diavolo sarà?

Capitolo novantatré

Arrivo da Boydy alle sette, e quando viene ad aprire si è tolto l'uniforme scolastica (il che è strano da parte sua) e si è messo una camicia bianca pulita, anche se indossa un paio di pantaloncini estivi. Ha un'aria linda e splendente, come se avesse appena fatto il bagno.

Quando oltrepasso la soglia, scoppio a ridere, perché ci sono due candele accese sul tavolo del soggiorno nonostante ci sia ancora luce.

«Boydy! A che servono le candele?» Rido e poi faccio una smorfia, perché mi fa ancora un po' male.

«Oh, quelle? Nulla. Io, ehm… Sarà stata mia madre a lasciarle lì, ecco, dopo una visita con qualche cliente. Sarà andata così.»

«Dov'è tua mamma? Vado a salutarla.»

«Mmm, ecco… è uscita.»

Si muove a scatti, forse è nervoso. Sarà teso per via della rivelazione, di qualunque cosa si tratti. Pensavo che ci saremmo seduti ad ascoltare un po' di musica, o a giocare con l'Xbox, o a guardare la televisione, invece apre la portafinestra che dà sulla terrazza (che detta così sembra una cosa grandiosa: in realtà è solo una piccola area pavimentata nel minuscolo giardino dietro casa).

Mi porta un succo di frutta con ghiaccio e fa un profondo respiro.

«Non sei l'unica ad avere un segreto, sai, Eff?»

Si tormenta per qualche istante le mani.

Attendo, paziente. Capisco che per lui non è facile.

Alla fine mi dice che suo padre, il rinomato avvocato londinese, sta scontando una pena di sette anni nella prigione di Durham per frode.

«Wow» dico, anche se suona un po' strano, ma è quello che sento.

«Non è tutto, però.» Mentre lo dice, non mi guarda, e poi sputa fuori il resto.

La sua mamma ha un disturbo bipolare, una condizione mentale – mi spiega – che ti porta a essere in alcuni momenti ultravitale, quasi maniacale, e altre volte orribilmente esausto e depresso. Capita che sua madre non riesca a lavorare e una volta è stata anche ricoverata in ospedale.

«Quando è successo?» gli chiedo, ma forse so già la risposta.

«Quando abbiamo cominciato a vederci. Avevo bisogno di qualcuno che... non lo so. Qualcuno che non si comportasse troppo male con me. Con mia madre lontano, eri più o meno l'unica.»

Sorseggio il mio succo in silenzio. Non so davvero cosa dire.

Alla fine è lui a rompere il silenzio.

«È un problema?»

Devo avere un'espressione perplessa.

«È un problema se mio padre è un truffatore e mia madre una...» Ci pensa per un istante. «Se mia madre è mentalmente instabile?»

«Problema? Certo che è un problema. Voglio dire, sono due cose piuttosto grosse.»

«Intendo dire se è un problema per te.»

Allora capisco.

«No, Boydy. Non è che per questo mi piaci di meno. Ce l'abbiamo tutti un fiume da attraversare, ma abbiamo anche ciò che serve per costruire i ponti.»

Mi guarda arricciando le labbra, con aria di scherno.

«È una cosa che dice sempre la nonna.»

«Caspita! Pensavo mi avessi preso un po' troppo sul serio.»

Poi mi racconta. Della malattia di sua mamma (iniziata anni fa), della disperazione di suo padre quando lo studio legale ha cominciato a perdere denaro, del piccolo inganno che si è trasformato in una grossa frode e di come il processo sia capitato proprio mentre sua madre veniva ricoverata in ospedale.

«È un tipo a posto» dice Boydy parlando di suo papà. «Ti piacerebbe. Ha solo... solo fatto qualche scelta sbagliata.»

«E adesso sei tu il responsabile di casa?» domando.

«Be', quando la mamma ha una crisi non ho alternative. In questo momento, però, sta bene. È andata a trovare mio padre. Adesso... hai fame? Sto provando una nuova ricetta.»

Ecco perché è così bravo in cucina, lo capisco solo in questo momento. Deve arrangiarsi quando sua madre non c'è.

Mi sembra di vederlo sotto una luce nuova. Si comporta in modo strano e nervoso, però, per tutto il tempo che precede la cena, e insiste per mangiare a tavola invece che seduti a terra, con i piatti sulle ginocchia come facciamo di solito. È una ricetta a base di manzo, molto buona, così continuo a ripetere «Mmm, delizioso», ma lui è distratto.

Alla fine dice: «Eff?».

«Boydy?»

«C'è qualcosa che volevo dirti.»

«Sì?»

Entro subito in allerta: pensavo che le rivelazioni fossero finite. Cos'altro c'è da aggiungere? Oh no, fermi tutti. Non quello, vero? Vero?

Alzo la mano e dico: «Boydy. Fermati. Non vorrai chiedermi di uscire?».

Segue una lunga pausa, durante la quale Boydy mi fissa. Le sue spalle si sono afflosciate e sembra triste.

«Non essere sciocca» mi dice alla fine. «Non stavo per chiederti niente del genere. Voglio dire, sei la mia migliore amica, giusto? Mi piace essere tuo amico e sarebbe un peccato rovinare tutto, no? Insomma, rischiare la nostra amicizia per... per... No, non stavo per chiederti quello. Davvero, Eff. Per chi mi hai preso?»

Sembra convinto. *Pfiu.*

«E allora cos'è che volevi chiedermi?»

«Oh, ehm…» Ci pensa per un istante. Ha perso il filo dei suoi pensieri. «Vuoi il dolce?»

«Era questa la domanda?»

«Sorbetto al limone. Tanto gusto, poche calorie.»

È un ottimo amico, Boydy.

Ma siamo questo e basta. Solo amici.

Una settimana dopo

Capitolo novantaquattro

Il papà di Boydy, a quanto pare, non è uno di quegli avvocati che lavorano in tribunale. È più un avvocato da scrivania, che si occupa di tasse o della cosiddetta "contabilità forense digitale", che non riesco nemmeno a immaginare cosa sia.

E la prigione dove si trova non è un posto con le sbarre e i lavori forzati. È un istituto a custodia attenuata, dove si possono ricevere visite, ci sono computer, internet e compagnia bella.

E ciò significa che, per fare un favore a Boydy, sta facendo delle indagini sul pagamento che ho inviato a una banca in Cina – Hong Kong, per la precisione – per comprare il Decotto *"Pelle Liscia" del dottor Chang*.

Boydy gli ha detto che ho versato i soldi (con la carta della nonna) senza mai ricevere il prodotto, così non siamo costretti a spiegare la faccenda dell'invisibilità. Il signor Boyd – Pete – dice che una prima indagine potrebbe avere due esiti.

Il primo è che si tratti di una piccola azienda che cambia banche e conti correnti, ma senza modificare indirizzo fisico e ip. In questo caso, ha detto, non sarà difficile rintracciarla.

L'altra possibilità è che sia una società per azioni molto più grande, che ha tante tipologie di transazioni con paesi diversi, e tanti conti correnti che vengono aperti e chiusi con indirizzi falsi, senza lasciare tracce in rete per tenersi alla larga dai professionisti come il papà di Boydy. Queste società sono spesso impossibili da stanare, soprattutto se non hai a disposizione una grande squadra e – nel caso specifico – se non conosci molto bene il mandarino e/o il cantonese. A Pete mancano entrambe le cose.

Se rientriamo nella prima tipologia – e Pete è ottimista –, allora è probabile che si possa recuperare un po' di quella strana mistura.

Peraltro il papà di Boyd è amico di un altro detenuto del suo stesso blocco che conosce sia il mandarino sia il cantonese e che ha promesso di darci una mano.

Cosa succederà?

E chi può dirlo?

Capitolo novantacinque

È quasi finito il semestre e mi piacerebbe poter raccontare che Jesmond e Jarrow sono finiti nei guai, invece no. Però hanno sempre tenuto un profilo *molto* basso. I manifesti degli animali smarriti sono spariti dai lampioni. Sono girate parecchie voci sulla truffa che avevano messo in piedi e la loro popolarità è evaporata come neve al sole.

La signora Abercrombie ha recuperato tutti i soldi della sua ricompensa.

E gli altri? Aramynta dice che hanno restituito il denaro: non mi resta che crederle.

Immagino che sia un bel risultato.

Non ho ancora raccontato a nessuno che Felina è mia madre, anche se non voglio che resti un segreto.

Mi sto ancora interrogando sul mio nome. In fondo Ethel Leatherhead non è quello vero: sono Tiger Pussycat "Boo" Mackay.

Anche se da qualche tempo il confine tra ciò che è reale e ciò che non lo è è piuttosto labile.

E la mia pelle? Va molto meglio, grazie.

Molto, molto meglio.

Altre due settimane dopo

Capitolo novantasei

Domani compio gli anni, sono tredici.

Non piove da settimane. L'erba dei Links sta diventando gialla e secca; e il cielo della sera, sgombro di nuvole, è di un viola scuro, piatto e sconfinato.

Avremmo dovuto farlo domani sera, il giorno del mio vero compleanno, ma papà deve tornare in Nuova Zelanda per sistemare alcune faccende, quindi abbiamo anticipato tutto di un giorno.

È la mia festa di compleanno? Non proprio. Non volevo che lo fosse: è qualcosa di più importante.

Oltretutto la lista degli invitati, radunati sulla roccia piatta sotto il faro, sarebbe un po' insolita per un tredicesimo compleanno.

Siamo:

- Io, ovviamente.
- La nonna.
- Lady.
- Boydy, sua madre e anche suo padre, che è uscito

di prigione grazie a un permesso di un giorno, che è quando ti consentono di andare a trovare la tua famiglia. (È simpatico. Una versione più vecchia e grassa di Boydy, in sostanza, e non ha per niente l'aspetto di un criminale. La mamma di Boydy è timida e sorridente.)

- La signora Abercrombie e Geoffrey. (Lo so, lo so. Ma ho dovuto invitarla, perché volevo che la nonna avesse un'amica; e comunque è molto più gentile con me, ora che Geoffrey ha smesso di ringhiarmi contro. Sarebbe ancora più gentile se sapesse che ha riavuto i soldi della ricompensa per merito mio.)
- Il reverendo Henry Robinson.
- Kirsten Olen (alla quale ho raccontato di mia mamma/Felina, ma non dell'invisibilità. Non ancora).
- Il giornalista del *Whitley News Guardian* che si era già presentato al centenario della bisnonna. (Lo status di eroe locale conquistato da Boydy sta per fare un ulteriore balzo in avanti, e lui diventerà ancora più presuntuoso, ma devo dire che la cosa non mi preoccupa.)
- C'è anche il professor Parker insieme a una signora allegra che si chiama Nicky e che lui ha presentato come la sua fidanzata. (Non mi sembrava il tipo da avere una ragazza. Il professor Parker, a quanto pare, in segreto è un appassionato di fari. Ha detto a Boydy che poteva prendere in prestito

il mixer e gli amplificatori del laboratorio di Musica e anche entrare a scuola durante le vacanze per recuperarli. Mi è parsa una gran cosa, ma il professore l'ha definita "un'inezia" in nome della loro comune passione per i fari.)

Nulla e nessuno sono veramente come appaiono.

Boydy cammina avanti e indietro, sembra molto nervoso. La settimana scorsa si è tagliato i capelli e rasato la peluria che aveva sul mento: ora sta molto meglio, e dopotutto sotto la peluria non ha poi questo gran doppio mento. Si è anche comprato dei vestiti nuovi. È carino, si è messo elegante per l'occasione. Non sono sicura, a dirla tutta, che quella camicia fantasia mi piaccia, ma gli calza a pennello come il resto. Gli ho trovato su eBay un berretto da guardiano del faro (e chi lo immaginava che vendessero cose simili? Non io), che gli piace un sacco.

C'è un altro invitato in arrivo. Papà è andato a prendere la bisnonna al Priory View. Di solito tutti gli ospiti della struttura vanno a letto alle nove, perciò non erano tanto contenti di lasciarla venire.

«Lasciarla venire?» ho sentito che chiedeva papà al telefono. «La tenete prigioniera o è un'ospite pagante?»

Ha funzionato.

Però non li vedo arrivare. Non sarebbe un grosso problema, se non fosse che la strada tra circa venti minuti sarà sommersa, bloccandoci sull'isola di St Mary per tutta la notte.

Guardiamo con ansia crescente la strada e il parcheggio, sperando di scorgere i fari che vengono verso di noi nella luce del crepuscolo.

Papà non avrà intenzione di perdersi l'evento, giusto?

Indosso la maglietta della mamma, quella che ha ancora un po' del suo odore. So che così rischio di perderlo, ma non m'importa. Non stasera.

«Eccoli!» esclama Boydy, indicando un paio di fari nella nostra direzione, e io tiro un sospiro di sollievo.

Accanto a papà c'è la bisnonna, vedo la sua figura minuta al posto del passeggero. Quando la macchina si ferma in fondo ai gradini, vicino alla roccia piatta, mi accorgo che c'è qualcun altro sul sedile posteriore, un uomo.

«E quello chi è?» domando alla nonna, ma lei non lo sa.

Ho la sedia a rotelle pronta, la spingo verso la macchina per aiutare la bisnonna a uscire.

«Stanley?» dico stupita, quando riconosco l'uomo anziano sul sedile posteriore.

«Già» ridacchia papà. «La tua bisnonna non voleva venire senza il suo fidanzato. Dico bene, signora Freeman?»

La bisnonna sembra raggiante, annuisce, e intanto si sistema sulla sedia a rotelle; poi mi rivolge uno dei suoi pallidi sorrisi e dice: «Ciao, bardottina».

Papà prende la sedia a rotelle, mentre io giro attorno alla macchina per aiutare Stanley a uscire. È debole, ma stabile sulle gambe.

«Ciao, Boo» dice con la sua voce esile da persona anziana. «So tutto di te. È un piacere vederti.»

(Solo più tardi mi sono chiesta che cosa intendesse. Si riferiva alla mia invisibilità? La bisnonna gli ha raccontato tutto? Con mia grande sorpresa, scopro che in fondo non sarebbe un problema.)

«Preghiamo» annuncia il reverendo Robinson.

Mentre uniamo le mani e cominciamo a mormorare il *Padre Nostro*, tengo gli occhi aperti e mi guardo attorno.

«Padre Nostro, che sei nei cieli...»

Il vecchio Stanley è in piedi dietro la sedia a rotelle della bisnonna e le sistema lo scialle di lana. La bisnonna non ha chiuso gli occhi, scruta invece un punto lontano verso il mare. Muove le labbra sillabando le parole familiari della preghiera.

La signora Abercrombie ha fatto scendere a terra Geoffrey e lui sembra molto più felice, annusa una pozza tra le rocce insieme a Lady.

Kirsten, dietro al mixer della scuola, si occupa della musica.

Tutti dicono «Amen» e poi c'è un momento di pausa, mentre alcuni gabbiani rispondono chiassosi sopra le nostre teste.

«Ci siamo?» domanda Boydy.

«Aspetta, aspetta!» dico.

Prendo un pacchetto di Haribo dalla tasca e lo apro, rovesciando il contenuto sul palmo della mano. Distribuisco una caramella a testa.

«Qualcuno di voi forse ricorderà che piacevano molto alla mia mamma» racconto. Mentre cominciano a masticare, hanno tutti un sorriso triste.

Papà deve prima buttare la sua gomma alla nicotina.

Annuisco rivolta a Kirsten, che alza il *fader*. La canzone della mamma parte a tutto volume, un suono forte e pieno.

> *You light up my life when I see you*
> *And all I want is to be with you...*
> *You light the light in me...*
> *Come on, baby, light the light!*

Quando la mamma canta *"light the light"*, Boydy aziona l'interruttore sulla prolunga, e la luce di un milione di candele inonda la roccia piatta dalla cima del faro, trentotto metri sopra di noi.

Illumina l'intera spiaggia.

Illumina il mare.

Sembra che illumini il mondo intero.

Stanley sorride, applaude e grida: «Evviva!».

E tutti gli altri seguono il suo esempio.

La nonna estrae qualcosa dalla sua borsa di tela e mi porge il piccolo vaso di ottone con il coperchio che ho visto nell'armadio il giorno in cui sono andata a frugare in camera sua. Sembra una vita fa, e in un certo senso lo è.

Annuso la maglietta che ho addosso, poi tolgo il coperchio.

Sulle note della canzone della mamma, mentre tutti succhiano le loro caramelle, sollevo l'urna in modo che il suo contenuto si rovesci all'esterno, e le ceneri vengono immediatamente spinte lontano dal vento, verso il mare. Una parte cade sulle rocce, subito portata via dalle onde. In pochi istanti non resta più nulla, né in cielo né in terra.

Mi guardo attorno. Piangono tutti. Non forte, nessuno sta singhiozzando, ma la nonna si asciuga gli occhi e anche papà ha un'espressione strana, come se facesse di tutto per trattenersi. La bocca di Boydy ha quel sorriso capovolto che gli ho già visto altre volte.

Lady si è sdraiata sulla roccia e guarda il mare.

Ho detto che tutti piangono, ma non è vero: tutti eccetto me.

Io cosa faccio? Sorrido!

Va tutto bene, è tutto perfetto.

Papà si avvicina e mi stringe le spalle mentre la nonna mi tiene la mano.

«Addio, mamma!» dico, e agito l'altra mano in segno di saluto, rivolta verso il mare.

In questo momento decido che voglio essere Ethel. Ethel Leatherhead. Soprannome di famiglia: Boo.

Ecco chi sono.

Nessuno si è accorto che la strada ormai è stata sommersa. Sarà una notte interessante.

Fine

Ringraziamenti

Grazie alla mia bravissima editor, Nick Lake, per la sua pazienza e i preziosi consigli; e grazie anche alla redazione e alle correttrici di bozze Madeleine Stevens, Anna Bowles e Mary O'Riordan, che hanno migliorato questo libro in un numero infinito di piccoli – e talvolta non così piccoli – modi.

Questo volume è stato stampato nell'agosto 2021
presso Rotolito S.p.A. - Milano